PRACTICA TU ESPAÑOL

EL SUBJUNTIVO

Autora: Inmaculada Molina
Directora de la colección: Isabel Alonso Belmonte

SOCIEDAD GENERAL ESPAÑOLA DE LIBRERÍA, S. A.

Primera edición, 2006
Reimpresión, 2007
Reimpresión, 2008

Produce SGEL - Educación
Avda. Valdelaparra, 29
28108 Alcobendas (Madrid).

Diseño de cubierta: Cadigrafía, S. L.
Maquetación: Dayo 2000
Ilustraciones: Gabriel Flores
Fotografías: Archivo SGEL

ISBN: 978-84-9778-246-3
Depósito legal: M-34916-2008
Printed in Spain – Impreso en España

Impresión: Service Point S.A.

ÍNDICE

PRESENTACIÓN

El subjuntivo es un libro de autoaprendizaje de ELE que presenta de manera sencilla las reglas fundamentales que rigen el uso del modo subjuntivo en español. Está escrito por Inmaculada Molina, profesora de español como lengua extranjera, y se dirige a estudiantes que tienen un nivel intermedio de español (B1). Cada unidad del libro presenta las diferentes reglas de uso de cuatro tiempos verbales de subjuntivo a través de numerosos ejemplos contextualizados. Además, se ofrecen un buen número de variadas actividades y un solucionario final, en el que se encuentran las respuestas a los ejercicios del libro.

Isabel Alonso

EL MODO SUBJUNTIVO.

LA CONJUGACIÓN DE CUATRO TIEMPOS VERBALES DE SUBJUNTIVO Y SUS CORRESPONDENCIAS TEMPORALES

El modo subjuntivo consta de seis tiempos verbales. En esta unidad presentamos la morfología de cuatro de ellos, con sus irregularidades y sus correspondencias con los tiempos del modo indicativo: el presente, el pretérito imperfecto, el pretérito perfecto y el pretérito pluscuamperfecto.

EL PRESENTE DE SUBJUNTIVO

a) Verbos regulares

El presente de subjuntivo se forma cambiando las vocales temáticas del presente de indicativo según el siguiente esquema:

PRESENTE DE INDICATIVO	-ar	-er/-ir	Cantar	Comer	Vivir
Yo	-**o**	-**o**	*can*t**o**	*com***o**	*viv***o**
Tú	-**a**s	-**e**s	*can*t**a**s	*com***e**s	*viv***e**s
Él/ella/usted	-**a**	-**e**	*can*t**a**	*com***e**	*viv***e**
Nosotros/as	-**a**mos	-**e**mos/-**i**mos	can*t***a**mos	co*m***e**mos	vi*v***i**mos
Vosotros/as	-**á**is	-**é**is/-**í**s	can*t**á**is*	co*m**é**is*	vi*v**í**s*
Ellos/ellas/ustedes	-**a**n	-**e**n	*can*t**a**n	*com***e**n	*viv***e**n

PRESENTE DE SUBJUNTIVO	-ar	-er/-ir	Cantar	Comer	Vivir
Yo	-**e**	-**a**	*can*t**e**	*com***a**	*viv***a**
Tú	-**e**s	-**a**s	*can*t**e**s	*com***a**s	*viv***a**s
Él/ella/usted	-**e**	-**a**	*can*t**e**	*com***a**	*viv***a**
Nosotros/as	-**e**mos	-**a**mos	can*t***e**mos	co*m***a**mos	vi*v***a**mos
Vosotros/as	-**é**is	-**á**is	can*t**é**is*	co*m**á**is*	vi*v**á**is*
Ellos/ellas/ustedes	-**e**n	-**a**n	*can*t**e**n	*com***a**n	*viv***a**n

En los ejemplos anteriores, la sílaba acentuada aparece en cursiva. Observa que el acento se mantiene en la misma posición que en el presente de indicativo: en las personas **yo**, **tú**, **él** y **ellos,** en la raíz, y en las personas **nosotros** y **vosotros**, en la terminación.

b) Verbos irregulares

Los verbos que tienen alteraciones vocálicas en presente de indicativo las mantienen en presente de subjuntivo:

1. Cuando en presente de indicativo la vocal de la raíz diptonga (**e → ie, o/u → ue**) en las formas correspondientes a **yo**, **tú**, **él** y **ellos**, en presente de subjuntivo se mantiene la misma diptongación en las mismas personas. Fíjate en la conjugación de los verbos *querer* y *contar*.

	Presente de indicativo		**Presente de subjuntivo**	
Yo	qu**ie**ro	c**ue**nto	qu**ie**ra	c**ue**nte
Tú	qu**ie**res	c**ue**ntas	qu**ie**ras	c**ue**ntes
Él/ella/usted	qu**ie**re	c**ue**nta	qu**ie**ra	c**ue**nte
Nosotros/as	queremos	contamos	queramos	contemos
Vosotros/as	queréis	contáis	queráis	contéis
Ellos/ellas/ustedes	qu**ie**ren	c**ue**ntan	qu**ie**ran	c**ue**nten

Otros verbos que diptongan son: *perder, preferir, sentir, entender, empezar, pensar, sugerir, acertar* (p**ie**rdo, pref**ie**ro, s**ie**nto, ent**ie**ndo, emp**ie**zo, p**ie**nso, sug**ie**ro, ac**ie**rto), *encontrar, volver, poder, jugar, probar, recordar, mover, dormir* (enc**ue**ntro, v**ue**lvo, p**ue**do, j**ue**go, pr**ue**bo, rec**ue**rdo, m**ue**vo, d**ue**rmo), etcétera.

2. Cuando en presente de indicativo la vocal -**e** de la raíz se cierra en -**i** en las formas correspondientes a **yo, tú**, **él** y **ellos**, en presente de subjuntivo la vocal -**e** se cierra en -**i** en todas las personas. Fíjate en la conjugación del verbo *repetir:*

	Presente de indicativo	**Presente de subjuntivo**
Yo	rep**i**to	rep**i**ta
Tú	rep**i**tes	rep**i**tas
Él/ella/usted	rep**i**te	rep**i**ta
Nosotros/as	repetimos	rep**i**tamos
Vosotros/as	repetís	rep**i**táis
Ellos/ellas/ustedes	rep**i**ten	rep**i**tan

Otros verbos que cierran la **-e** de la raíz en **-i** son: *pedir, reír, competir, seguir, conseguir, perseguir, medir*, etcétera.

3. Cuando un verbo es irregular en la primera persona del presente de indicativo, mantiene esa misma irregularidad en todas las personas del presente de subjuntivo. Fíjate en la conjugación del verbo *decir:*

	Presente de indicativo	Presente de subjuntivo
Yo	**digo**	**dig**a
Tú	dices	**dig**as
Él/ella/usted	dice	**dig**a
Nosotros/as	decimos	**dig**amos
Vosotros/as	decís	**dig**áis
Ellos/ellas/ustedes	dicen	**dig**an

Otros ejemplos de este tipo de irregularidad son:

Hacer	→ **hag**-	Traer	→ **traig**-
Caer	→ **caig**-	Traducir	→ **traduzc**-
Conocer	→ **conozc**-	Poner	→ **pong**-
Conducir	→ **conduzc**-	Salir	→ **salg**-
Oír	→ **oig**-	Venir	→ **veng**-
Parecer	→ **parezc**-	Construir	→ **construy**-

Y sus compuestos:

Contradecir	→ contra**dig**-	Suponer	→ su**pong**-
Desconocer	→ des**conozc**-	Deshacer	→ des**hag**-

4. Por último, hay un grupo de verbos totalmente irregulares. Son los verbos *ser, estar, haber, ir, saber* y *ver:*

	Ser	Estar	Haber	Ir	Saber	Ver
Yo	sea	esté	haya	vaya	sepa	vea
Tú	seas	estés	hayas	vayas	sepas	veas
Él/ella/usted	sea	esté	haya	vaya	sepa	vea
Nosotros/as	seamos	estemos	hayamos	vayamos	sepamos	veamos
Vosotros/as	seáis	estéis	hayáis	vayáis	sepáis	veáis
Ellos/ellas/ustedes	sean	estén	hayan	vayan	sepan	vean

EL PRETÉRITO IMPERFECTO DE SUBJUNTIVO

El pretérito imperfecto de subjuntivo se forma a partir de la 3.ª persona del plural del pretérito indefinido (regular o irregular) del verbo correspondiente. Hay que cambiar la terminación final **-ron** por las siguientes terminaciones:

Pretérito indefinido	Pretérito imperfecto de subjuntivo			
Cantar → Canta**ron**	Yo			-ra/-se
Ser → Fue**ron**	Tú	canta-		-ras/-ses
Decir → Dije**ron**	Él/ella/usted	fue-	+	-ra/-se
	Nosotros/as	dije-		-ramos/-semos
	Vosotros/as			-rais/-seis
	Ellos/ellas/ustedes			-ran/-sen

Las formas **-ra** y **-se** son equivalentes y, por lo tanto, intercambiables. La elección de una u otra por parte de los hablantes depende de diversos factores: procedencia geográfica, preferencias personales o estilísticas, etcétera.

EL PRETÉRITO PERFECTO DE SUBJUNTIVO

El pretérito perfecto de subjuntivo se forma con el presente de subjuntivo del verbo auxiliar *haber* y el participio del verbo correspondiente.

Yo	**haya**	
Tú	**hayas**	cant**ado**
Él/ella/usted	**haya**	beb**ido**
Nosotros/as	**hayamos**	dorm**ido**
Vosotros/as	**hayáis**	
Ellos/ellas/ustedes	**hayan**	

El participio de algunos verbos es irregular. Te recordamos los principales:

Abrir	→ **abierto**	Morir	→ **muerto**
Cubrir	→ **cubierto**	Poner	→ **puesto**
Decir	→ **dicho**	Resolver	→ **resuelto**
Escribir	→ **escrito**	Romper	→ **roto**
Hacer	→ **hecho**	Volver	→ **vuelto**

Recuerda que hay verbos que tienen dos participios, uno regular y otro irregular. Aquí tienes los más frecuentes:

	Regular	Irregular
Atender	→ atendido	**atento**
Despertar	→ despertado	**despierto**
Freír	→ freído	**frito**
Imprimir	→ imprimido	**impreso**
Proveer	→ proveído	**provisto**
Soltar	→ soltado	**suelto**
Torcer	→ torcido	**tuerto**

En estos casos, la forma irregular sólo actúa como adjetivo y nunca como verbo, excepto en los casos de *freír* e *imprimir*, cuyos participios regulares e irregulares pueden funcionar como verbos.

EL PRETÉRITO PLUSCUAMPERFECTO DE SUBJUNTIVO

El pretérito pluscuamperfecto de subjuntivo se forma con el imperfecto de subjuntivo del verbo auxiliar *haber* y el participio del verbo correspondiente:

Yo	**hubiera/se**	
Tú	**hubieras/ses**	cant**ado**
Él/ella/usted	**hubiera/se**	beb**ido**
Nosotros/as	**hubiéramos/semos**	dorm**ido**
Vosotros/as	**hubierais/seis**	
Ellos/ellas/ustedes	**hubieran/sen**	

CORRESPONDENCIAS ENTRE LOS TIEMPOS DE INDICATIVO Y LOS DE SUBJUNTIVO

Es importante recordar que hay una correspondencia entre los tiempos del modo indicativo y los del modo subjuntivo. Observa las siguientes indicaciones:

1. Para hablar del **presente** y del **futuro** se utiliza el **presente de subjuntivo**.

Indicativo	Subjuntivo
Está trabajando.	*Es posible que **esté** trabajando.*
Mañana nos veremos aquí.	*Espero que mañana nos **veamos** aquí.*

2. Para hablar de un **pasado reciente** o de un **pasado** referido a un momento futuro en oraciones con introducción negativa, se utiliza el **pretérito perfecto de subjuntivo.**

Indicativo	**Subjuntivo**
Ha habido un atasco.	*Es increíble que **haya habido** un atasco.*
Habrá salido a comprar.	*No creo que **haya salido** a comprar*

3. Para hablar del **pasado,** se utiliza el **imperfecto de subjuntivo.**

Indicativo	**Subjuntivo**
Ayer llovió.	*Nos sorprendió que ayer **lloviese**.*
A las cuatro estaba allí.	*Probablemente a las cuatro **estuviera** allí.*

4. Para hablar de un **presente** o **futuro hipotéticos** se utiliza el **imperfecto de subjuntivo.**

Indicativo	**Subjuntivo**
Vivo lejos del mar.	*Si **viviera** cerca...*
Sé hablar inglés.	*Si no **supiese** hablar inglés...*

5. Para hablar de un **pasado** respecto a otro momento del pasado se utiliza el **pluscuamperfecto de subjuntivo.**

Indicativo	**Subjuntivo**
Dijo que había comido con Luis.	*No dijo que **hubiese comido** con Luis.*

ATENCIÓN:

Los otros dos tiempos verbales, el **futuro imperfecto** y el **futuro perfecto**, sólo se usan en el lenguaje jurídico y en expresiones arcaicas, como los refranes, por ejemplo.

	Futuro imperfecto			**Futuro perfecto**	
Yo			-re	**hubiere**	
Tú	canta-		-res	**hubieres**	cant**ado**
Él/ella/usted	fue-	+	-re	**hubiere**	beb**ido**
Nosotros/as	dije-		-remos	**hubiéremos**	dorm**ido**
Vosotros/as			-reis	**hubiéreis**	
Ellos/ellas/ustedes			-ren	**hubieren**	

¿LE MOLESTA QUE FUME?

EXPRESAR BUENOS DESEOS, PETICIONES Y DISCULPAS

1 **Últimamente, Pablo ha recibido por correo electrónico muchos mensajes. ¿A qué ocasión crees que corresponde cada uno de estos deseos que le han enviado sus amigos? Relaciona las dos columnas.**

1. Que tengas mucha suerte.
2. Que cumplas muchos más.
3. Que todo salga bien.
4. Que te mejores.
5. Que pases una feliz noche.
6. Que te diviertas.

a. Pablo está enfermo.
b. Pablo cena con su familia en Nochebuena.
c. Pablo cumple 22 años.
d. Pablo se examina para sacar el carné de conducir.
e. Pablo se va una semana de vacaciones a la playa.
f. Pablo quiere comprarse un pequeño apartamento.

Teoría

Como has visto, el subjuntivo se utiliza para expresar deseos. Otra forma de hacerlo es a través de *ojalá*, palabra de origen árabe que utilizamos cuando creemos que nuestro deseo depende en parte del azar o de factores que nosotros no controlamos directamente. Fíjate en el ejemplo:

Ej.: *Necesito aprobar esta asignatura. ¡**Ojalá** el examen no **sea** muy difícil!*

Encuentra el verbo que corresponde a cada deseo y completa las frases con el tiempo adecuado.

a. Mi vecina ha perdido a su perro y está bastante triste.
¡Ojalá lo ________ !

b. ¿Sabes que Rita ha puesto su piso en venta porque necesita el dinero?
¡Ojalá lo ________ pronto!

c. Hemos comprado lotería para Navidad.
¡Ojalá nos ________ !

d. Fíjate cómo llueve y mi primo se casa mañana. ¡Ojalá ________ el tiempo!

e. He conocido a un chico guapísimo y le he dado mi número.
¡Ojalá me ________ !

f. Alfonso, te examinas mañana, ¿no? Pues nada, ojalá ________ mucha suerte.

g. Quería ir al concierto de U2, pero fíjate qué cola: ¡ojalá todavía ________ entradas!

tocar — tener — encontrar — haber — llamar — vender — mejorar

Teoría

En ocasiones, expresamos deseos que consideramos muy difícil, o incluso imposible, que se cumplan. En esos casos, podemos utilizar la misma expresión, *ojalá*, con imperfecto de subjuntivo.

3 **Esto es lo que le ocurre a Aniceto, a quien le gustaría que muchas cosas fueran diferentes. Fíjate en el ejemplo y completa sus deseos con los siguientes infinitivos en el tiempo adecuado.**

saber	**ser**	**tener**	**poder**	**venir**	**llamarse**

4 **Vamos a completar los deseos que estas personas han escrito en las tarjetas. Tacha la forma de verbo que consideres incorrecta, como en el ejemplo.**

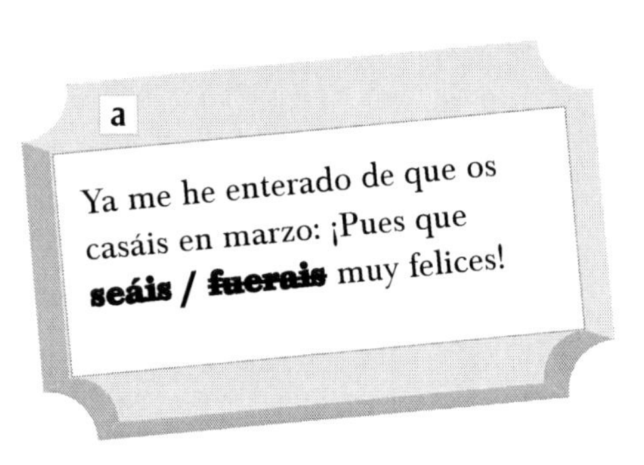

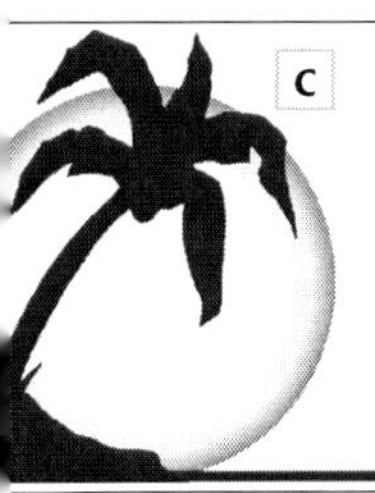

c

Estimado Antonio: me temo que este año tampoco puedo ir a visitarte. Ojalá las cosas sean / fueran diferentes, pero mi situación laboral no me lo permite...

d

Hijo, no nos esperes levantado porque vamos al teatro. Y no te acuestes tarde. Que descanses / descansaras.

e

Chelo, lo siento, pero me ha surgido algo y no podré ir con vosotros a la fiesta. Hablamos mañana. ¡Que os lo **paséis / pasarais** muy bien!

f

Ana, me han dicho que irás al abogado esta tarde. Llámame cuando vuelvas y ojalá todo **vaya / fuera** bien.

Teoría

Hasta ahora hemos visto que el subjuntivo se utiliza, entre otras cosas, para expresar deseos. En ese y otros casos, el subjuntivo nos facilita las relaciones con los demás. Por ejemplo, cuando queremos hacer algo y creemos que podría molestar a alguien. Fíjate en el siguiente ejemplo:

> Estás en la oficina y tienes mucho calor. Quieres abrir la ventana, pero quizá tu compañero no tiene tanto calor como tú. En ese caso, podrías formular la siguiente pregunta:
>
> *–¿Te importa / Te molesta que **abra** la ventana?*

5 ¿Qué dirías en las siguientes situaciones?

a. Estás en un café con una amiga. Ella no es fumadora, pero tú sí.

b. En el autobús sólo hay un sitio libre y tú quieres sentarte, pero la señora de al lado ha puesto allí su bolsa de la compra.

c. Antes de entrar en clase le dices a tu profesor que tendrás que salir media hora antes.

d. Estás en casa de un amigo y necesitas usar el teléfono para hacer una llamada urgente.

e. Vas a salir un momento y no encuentras las llaves de casa: le preguntas a tu compañero de piso si puedes llevarte las suyas.

f. Necesitas que un compañero te dé una información urgente y tendrás que llamarlo al trabajo: le pides permiso.

g. Estás en clase, hace calor y te gustaría abrir la ventana: les pides permiso a tus compañeros.

Teoría

También podemos recurrir al subjuntivo cuando:

- queremos pedir disculpas a alguien por algo:

  *–Perdona / Disculpa que **no me quede** mucho rato: es que he aparcado el coche en doble fila.*

- o expresar nuestro pesar por algo:

  *–Lamento / Siento que **no estés** contento con tu trabajo: ¿ya estás buscando otro?*

6 **Según esos ejemplos, ¿qué dirías en las siguientes situaciones? Completa los diálogos.**

a. Llamas por teléfono a un amigo demasiado temprano por un asunto urgente:
– Hola, Tomás: .... tan temprano, pero es que tengo que contarte una cosa muy importante...

b. Estás en una reunión y un compañero está hablando, pero tú tienes una pregunta que no puede esperar:
– Carlos, ... , pero respecto a este asunto tengo una duda que me gustaría exponer...

c. Le has regalado un libro a un amigo, pero ya lo tiene:
– Vaya, ... , pero, de todos modos, ya sabes que puedes cambiarlo por otro.

d. Es el cumpleaños de una amiga pero tú no puedes ir a su fiesta porque tienes un examen al día siguiente:
– Oye, Marta .... , pero es que me resulta imposible: todavía tengo que estudiar varias horas y...

e. Te casas el próximo sábado y uno de tus amigos no podrá asistir por un problema familiar. Te ha llamado para disculparse y tú le respondes:
– Pues .... : me gustaría mucho que estuvieras aquí el sábado, pero lo comprendo, no te preocupes.

f. Has llegado muy tarde a una cita con tus amigos, pero no se creen la explicación que les has dado:
– .... , pero os he dicho la verdad.

g. Tu hermano llega hoy de viaje y tú no puedes ir a buscarlo al aeropuerto por un problema en el trabajo. Lo llamas al móvil:
– Oye, Paco, ... : me ha surgido una reunión en el último momento y no puedo irme: ¿te importa coger un taxi?

h. Estás haciendo obras en tu casa y un vecino se ha quejado por los ruidos:
– Sí, lo comprendo y .... , pero le aseguro que en un par de días habremos terminado las obras.

Completa las siguientes frases con el verbo adecuado de entre los que aparecen en el cuadro, según el ejemplo:

estar	haber	venir	salir
ir	tener	~~conocer~~	preferir
ser	sentarse	saber	ver

Ej.: *¡Claro que lamento que el niño no* ***conozca*** *a sus tíos!, pero es que, desde que viven en Australia, no han vuelto por aquí.*

a. Perdona que .... tan pesada, ¿pero estás segura de que habíamos quedado a las ocho?

b. ¿Te importa que .... a ver la película con Marcos? Es que me dijo que tenía tantas ganas de verla...

c. Oye, por si no te veo mañana, que todo .... estupendamente, ¿eh?

d. Lamento que .... que esperar tanto, señor Martínez, pero la reunión parece que se alarga más de lo previsto.

e. ¿Es verdad que mañana tenéis el examen de la última asignatura de Derecho? Pues que .... mucha suerte y .... todo lo que os pregunten.

f. Cuánto siento que Ramón no .... en casa: le habría encantado verte.

g. Perdone, ¿le importa que .... a su lado? Es que este otro asiento está manchado de barro.

h. Siento mucho que .... irte a esa otra empresa: creo que aquí, con nosotros, habrías llegado muy lejos.

i. Lamento que .... ustedes ahora y .... la casa tan oscura: como decía el anuncio, es muy soleada.

8 Completa el siguiente crucigrama con los verbos necesarios.

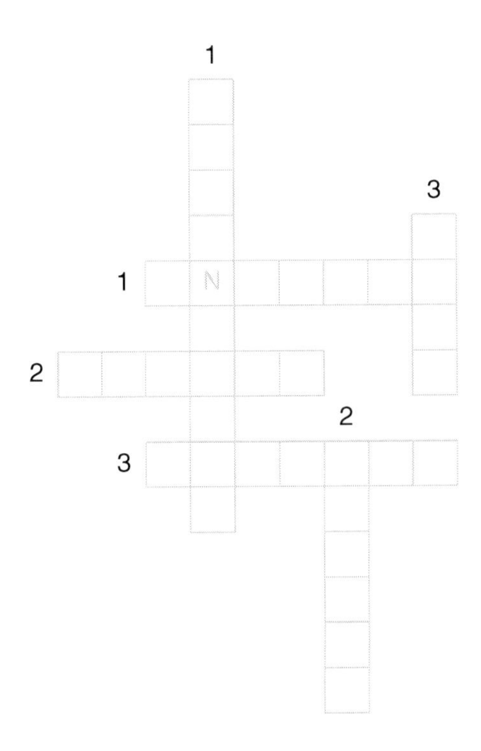

HORIZONTALES:

1. Perdone que .... pero, ¿no nos hemos visto antes en algún sitio?
2. Ojalá .... más parecido a tu hermano, que se pasa el día estudiando.
3. Lamento mucho que .... así porque creo que estás equivocado.

VERTICALES:

1. Ojalá .... pronto el piso que estáis buscando.
2. (Al revés) Siento que no te .... al baile, pero te agradezco que hayas venido.
3. ¿Te importa que te .... una pregunta?

QUERIDOS REYES MAGOS.

DEFINIR PERSONAS, OBJETOS, MOMENTOS Y LUGARES

2

1 **Fíjate en la carta que ha escrito Iván a los Reyes Magos. Algunas palabras no se entienden bien. ¿Puedes completarlas? De entre los siguientes verbos, escoge los que creas más adecuados.**

gane · consuma · pierda · corra · sea · flote · tenga · sirva

Queridos Reyes Magos: como he sido muy bueno este año quería pediros unos cuantos regalos.
Quiero un camión de bomberos que ______ una escalera muy grande, un barco que ______ de verdad para jugar con él en la piscina y una bicicleta que ______ más grande y más bonita que la de mi primo Toñín. Y me gustaría mucho también el disco de David Sinsal que anuncia la tele, el que grabó durante su último concierto.
También, si no os importa, me gustaría pediros algo para mis papás: papá siempre dice que quiere un coche que ______ menos y mamá dice que quiere un trabajo en el que ______ más.
¡Ah! Y a ver si podéis traerle otro novio a mi tía Carla, porque no me gusta el que tiene ahora.
Muchas gracias por todo y hasta el año que viene.

Iván

ATENCIÓN:

Fíjate bien en las cosas que pide Iván; casi todas tienen algo en común: Iván da la característica que más le interesa de ellas, pero no dice nada sobre otros aspectos que no le interesan tanto.

Los Reyes Magos podrían escoger entre diferentes coches de bomberos, barcos y bicicletas. Pero hay algo importante: el coche debe tener una larga escalera, el barco debe flotar y la bici debe ser más grande y bonita que la de Toñín.

Solamente uno de los regalos está completamente definido: el disco de su cantante favorito. Iván quiere un disco en particular y da información precisa sobre él para que los Reyes Magos no se equivoquen: *El que grabó durante su último concierto.*

Teoría

Usamos el subjuntivo cuando queremos hablar de personas, objetos, lugares, formas de hacer las cosas, etc., que no están claramente definidos. En cambio, cuando nos referimos a algo o alguien preciso, que podemos identificar sin duda, utilizamos el indicativo. Fíjate en estos ejemplos:

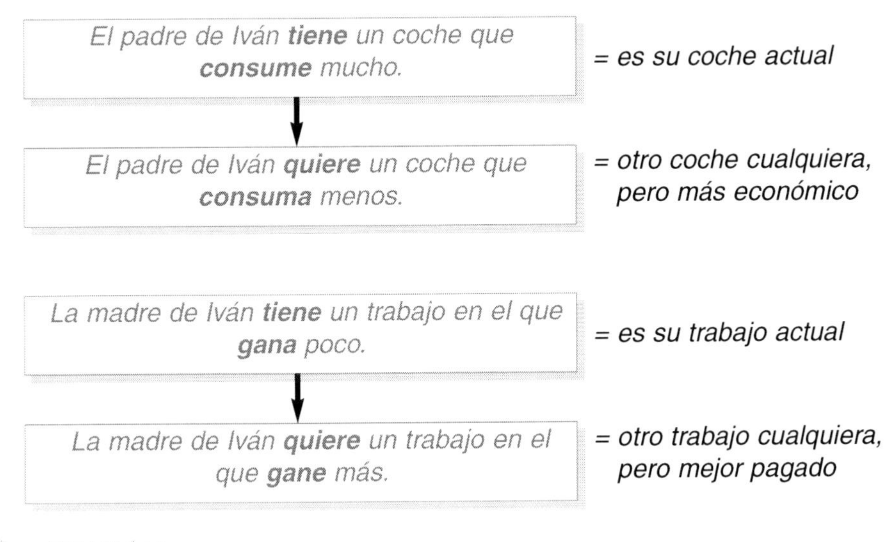

ATENCIÓN:

Por eso podemos utilizar el subjuntivo para hablar de cosas o personas que buscamos, necesitamos o deseamos.

2 **Fíjate bien en las siguientes frases de los otros miembros de la familia y decide en qué o quién piensan.**

El padre de Iván:
«Un coche que no se avería muy frecuentemente» ____
«Un coche que sea seguro» ____
«Un coche que no sea muy caro» ____
«Un coche que es amplio y cómodo» ____
«Un coche que sea fácil de aparcar» ____

a. Su coche actual
b. El coche que quiere comprarse

La madre de Iván:
«Un trabajo que me gusta» ____
«Un trabajo que me deja bastante tiempo libre» ____
«Un trabajo que esté más cerca de casa» ____
«Un trabajo que no me obligue a viajar» ____
«Un trabajo que no me da preocupaciones» ____

c. Su trabajo actual
d. El trabajo que quiere encontrar

La tía de Iván:
«Un novio que me comprenda» ____
«Un novio que no habla mucho» ____
«Un novio que baile salsa» ____
«Un novio que estudia Arquitectura» ____
«Un novio que viva en la misma ciudad que yo» ____

e. Su novio actual
f. El novio que le gustaría tener

3 **Nicolás quiere irse de vacaciones, pero no está seguro del destino. Ahora está haciendo una lista con todas las cosas que le apetecen, para así poder decidir dónde pasar esos días. Ayúdale a completar la lista, siguiendo el ejemplo.**

Un sitio…
— que **tenga** mar. (tener)
— donde no ____ muchos turistas. (haber)
— que no ____ muy lejos de aquí. (estar)
— donde no ____ demasiado dinero. (gastar)
— adonde ____ en coche o en avión, pero no en barco. (llegar)
— que me ____ tanto como el del año pasado. (gustar)
— donde la gente ____ agradable y cálida. (ser)
— donde ____ a gente de mi edad. (conocer)
— donde no ____ a ningún conocido. (encuentre)
— donde ____ vestir informalmente. (poder)

4 **Mauricio no encuentra a ninguna chica que le guste porque es muy exigente. Así que ha decidido escribir un correo electrónico a una agencia matrimonial para ver si así tiene más suerte. Lee lo que dice y completa las frases con indicativo o subjuntivo, según corresponda.**

Mensaje nuevo

Archivo Edición Ver Insertar Formato Herramientas Mensaje Ayuda

Enviar Cortar Copiar Pegar Deshacer Comprobar Ortografía Adjuntar Prioridad Firmar Cifrar Sin conexión

Para:

CC:

Asunto:

«...y por eso les escribo. ¿Creen que podrían encontrar una chica adecuada para mí? Eso sí: les advierto que no me sirve cualquiera. Para empezar, algo muy importante: quiero una mujer que no (1) ______ (fumar) porque yo no soporto el tabaco. Además, me gusta mucho salir al campo los fines de semana en bicicleta y a pasear, así que quiero una chica que (2) ______ (caminar) mucho sin cansarse y que (3) ______ (disfrutar) de la naturaleza tanto como yo. He salido con muchas chicas que al principio te dicen que (4) ______ (ser) muy deportistas, pero luego no (5) ______ (levantarse) del sofá en todo el día. Y también quiero que sea una chica que (6) ______ (tener) conversación, pero que no (7) ______ (ser) charlatana porque no soporto a las mujeres que (8) ______ (hablar) demasiado. Yo soy bastante bajito, así que prefiero una mujer que no (9) ______ (medir) más de 1,55 m. Si puede ser, mejor una chica que (10) ______ (ser) rubia, que me gustan más. Y una última cosa: ¿tienen alguna que, además, (11) ______ (tocar) el piano? Es mi instrumento favorito, ¿saben?...»

Inicio Outlook Express Mensaje nuevo ES

ATENCIÓN:

Antonio es una persona muy pasiva. Su familia y sus amigos intentan hacer que cambie, pero no lo consiguen. Fíjate en cómo les responde:

Su novia: —Antonio, ¿a qué sesión de cine prefieres ir?
Antonio: —A la que tú quieras, mi amor.

Su amigo Pedro: —Antonio, ¿dónde quedamos?
Antonio: —Donde tú quieras, Pedro.

En estos dos casos, Antonio no muestra mucho interés en dar informaciones exactas sobre el lugar, el momento o el modo de hacer las cosas.

5 **¿Qué crees que responderá Antonio a todas estas preguntas? Puedes utilizar, para ayudarte, las expresiones que aparecen más abajo.**

a. Su madre: —Antonio, ¿qué te apetece cenar?

b. Su mecánico: —Antonio, ¿de qué color te pinto la moto?

c. Sus amigos: —Antonio, ¿en qué bar nos vemos esta noche?

d. Su novia: —Antonio, ¿dónde quieres que cenemos el sábado?

e. Su compañero de trabajo: —Antonio, ¿cómo organizamos las vacaciones?

como | en el que | lo que | del que | donde

6 **En las siguientes frases aparecen personas, objetos o circunstancias que están más o menos identificados. Fíjate en el ejemplo y rodea con un círculo la opción que creas más adecuada de las restantes frases.**

Ej.: *¿Que no conoces a mi primo? Es aquel de allí, el que* ***está*** */* ***esté*** *apoyado en la pared.*

a. Pues claro que sé dónde he puesto las gafas: donde las **pongo / ponga** siempre.

b. Mira, no me preguntes más y organiza los libros como te **apetece / apetezca.**

c. Pueden ustedes pagar el sofá al contado o a plazos, como más les **conviene / convenga.**

d. El que **quiere / quiera** discutir, que se vaya a la calle.

e. No importa donde lo **pones / pongas:** te digo que ese cuadro es horroroso.

f. Ésta es mi última novela, de la que **estoy / esté** más satisfecho.

g. Como es su cumpleaños, iremos a «La Paloma», el restaurante que más le **gusta / guste.**

h. Y el rey dijo: «Mi hija, la princesa Rosalinda, se casará con el caballero que **demuestra / demuestre** tener más valor».

i. Éste año iremos de vacaciones a la playa, como **hacemos / hagamos** todos los años.

A veces, el significado del subjuntivo aparece resumido en una frase sin verbo. Fíjate en el siguiente ejemplo y transforma tú las restantes frases, utilizando los verbos que aparecen más abajo.

Ej.: *Con el dinero del premio voy a construirme* ***una casa de dos pisos*** → *Con el dinero del premio voy a construirme* ***una casa que tenga dos pisos.***

a. Buenas tardes. Busco un libro **sobre la felicidad.**

b. Hola. ¿Tiene clavos **más pequeños que éste?**

c. Se me ha roto otro paraguas. Voy a comprarme uno **a prueba de viento.**

d. Con esta tarde tan lluviosa, lo que me apetece es sentarme en el sofá a ver una película **de tres horas.**

e. No me importaría adoptar un perro, pero no un cachorro, sino uno **de uno o dos años.**

f. Buenos días. Quería una radio pequeñita **a pilas.**

g. Tengo tanta prisa que me iré en cualquier avión **esta noche.**

resistir — funcionar — tener — ser — salir — tratar — durar

SÍ, ME MOLESTA QUE FUME.

EXPRESAR SENTIMIENTOS Y REACCIONES

1 **Cuando Elena conoció a Jaime, él era muy distinto. Estaba delgado, fumaba muy poco, era limpio y ordenado... Hoy Elena ha vuelto a casa muy cansada y se ha enfadado al ver esta escena. ¿Qué crees que le dice a Jaime? Fíjate en el ejemplo y completa sus palabras.**

Ej.: Jaime fuma muchísimo

- Jaime nunca limpia la casa
- Jaime ve demasiada televisión
- Jaime come demasiado
- Jaime es bastante vago
- Jaime nunca quiere hacer nada

Teoría

Otro de los usos de subjuntivo es el que nos sirve para transmitir nuestros sentimientos y reacciones ante ciertos hechos o situaciones. Para utilizar el subjuntivo tiene que darse la circunstancia de que esos hechos no los realice la persona que habla, como en los ejemplos del dibujo. Si es la persona que habla quien realiza la acción y experimenta la reacción o el sentimiento, entonces necesitamos usar el infinitivo del verbo:

Me da vergüenza salir a la calle con este sombrero. (= me da vergüenza *a mí; yo* salgo a la calle) ➞ la misma persona, *yo*

Nos encanta que vengas a cenar cuando quieras. (= *a nosotros* nos encanta; *tú* vienes a cenar) ➞ diferentes personas: *nosotros / tú*

2 Transforma las dos frases en una sola, utilizando el infinitivo o el presente de subjuntivo, según el ejemplo.

Ej.: *Mañana tengo que hablar en público. Eso me pone muy nervioso.* ➞
Me pone muy nervioso tener que hablar en público.

a. Los hijos de Marga no estudian mucho. Eso le preocupa. ➞

b. Nosotros siempre hemos vivido en este barrio. Eso siempre nos ha gustado. ➞

c. Tú te quedas sola en casa por las noches. Yo creía que eso te daba miedo. ➞

d. Paco tiene que vender la casa de sus padres. Eso me da mucha pena. ➞

e. Rosa y Alejandro se casan en diciembre. Me alegro mucho. ➞

f. Tú ganas menos en tu trabajo que yo. Eso te fastidia mucho. ➞

g. Siempre presume de ser el más trabajador. Eso me saca de quicio. ➞

3 **Aquí tienes algunas de las expresiones que podemos utilizar para expresar nuestras reacciones y sentimientos. Utiliza las que consideres más adecuadas para transformar las siguientes oraciones, siguiendo el ejemplo.**

me molesta - me saca de quicio - me pone histérico/a - me da miedo
me disgusta - me fastidia - me hace gracia - me da pena - me da rabia
me encanta - me da pánico - me horroriza - me gusta - me da vergüenza

Ej.: *Qué bien: ya no se puede fumar en este edificio, lo han prohibido.* →
Me alegro mucho de que ya no se pueda fumar en este edificio.

a. Carmen siempre pone la música muy alta mientras trabaja con su ordenador. →

....

b. La casa está muy bien de precio, pero las ventanas dan a un patio interior. →

....

c. No me atrevo a ir al trabajo en coche: han dicho en la tele que va a nevar. →

....

d. Prefiero no discutir con él, nunca reconoce sus errores. →

....

e. Uf, yo soy muy tímido, es horrible cuando la gente me mira. →

....

f. No pienso llegar puntual: Marta siempre me hace esperar en la calle. →

....

Teoría

A veces queremos expresar nuestra reacción ante un hecho pasado. Fíjate en estos ejemplos:

Ej.: *Me puso nervioso que me **hiciera** esa pregunta.*
*Me molestaba que me **mirara** tan fijamente.*

En estos casos hemos utilizado un imperfecto de subjuntivo.

En este chat de antiguos alumnos del Colegio *La Amapola,* los participantes recuerdan viejos tiempos. Hoy están comentando algunas de las cosas que menos les gustaban de su época colegial. Fíjate en las cosas que dicen.

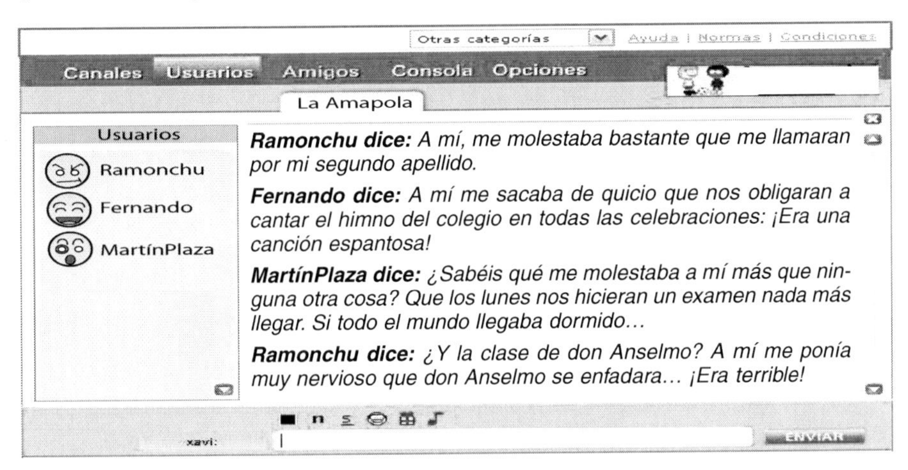

¿Y a ti? ¿Cuáles son las cosas que menos te gustaban de tu época de colegio? Escribe en tu cuaderno alguna de ellas.

Completa las siguientes frases con la forma de subjuntivo adecuada, siguiendo el ejemplo.

Ej.: ***Me parece*** *increíble que no* ***haya*** *un libro de reclamaciones en el hotel.* → ***Me pareció*** *increíble que no* ***hubiera / hubiese*** *un libro de reclamaciones en el hotel.*

a. Me molesta bastante que (salir, tú) ______ todas las noches con tus amigos.
b. El niño era muy pequeño y no nos gustaba que (acostarse, él) ______ tan tarde.
c. A mis padres les preocupaba que (estudiar, yo) ______ una carrera con pocas salidas.
d. Me fastidia que la gente (criticar) ______ a los demás sin saber nada de su vida.
e. No hagas ruido: ya sabes que a la tía la pone de mal humor que la (despertar, nosotros) ______
f. A mis amigos les encantaba que les (prestar, yo) ______ mi moto.
g. Por favor, no traigas al perro: ya sabes que me da pánico que se me (acercar, él) ______

Teoría

Otra forma de relacionar nuestra reacción ante algo pasado es mediante el uso del pretérito perfecto de subjuntivo. Fíjate en estos ejemplos:

Ej.: *Me gustaba que los domingos mi madre nos* ***hiciera*** *chocolate para desayunar.*
Me alegro de que por fin ***hayas tomado*** *una decisión.*

Si desdoblamos la parte de las frases que nos provoca una reacción, el resultado sería algo así:

Ej.: *Los domingos mi madre nos* ***hacía*** *chocolate para desayunar (y eso me gustaba).*
Por fin ***has tomado*** *una decisión (y eso me alegra).*

Observa en los ejemplos anteriores que el pretérito perfecto de indicativo se transforma en pretérito perfecto de subjuntivo y que el imperfecto de indicativo pasa a ser imperfecto de subjuntivo:

hacía → *hiciera*
has tomado → *hayas tomado*

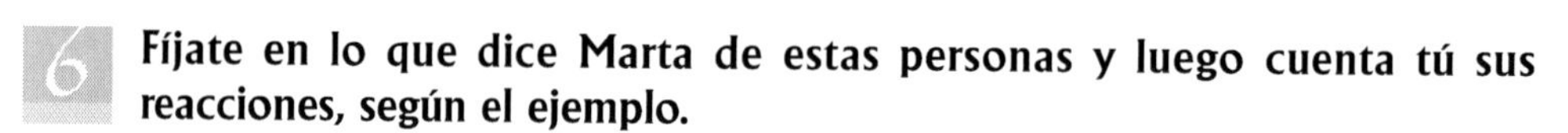

6 Fíjate en lo que dice Marta de estas personas y luego cuenta tú sus reacciones, según el ejemplo.

Ej.: *Marta: «Pues a mí me encanta lo que ha hecho mi hermana:* ***ha dejado*** *su trabajo y* ***se ha ido*** *a vivir al campo».* → *A Marta le encanta que su hermana* ***haya dejado*** *su trabajo y* ***se haya ido*** *a vivir al campo.*

a. «¡Es que no entiendo lo que ha hecho Raquel! Ha vendido su piso y su coche y se ha gastado todo el dinero en una caravana».
Marta no entiende que Raquel ....

....

b. «Mauro era un hipocondríaco y me ponía muy nerviosa: se pasaba el día poniéndose el termómetro».
A Marta la ponía muy nerviosa que Mauro ....

....

c. «¡Qué raro! Ana no me ha llamado por teléfono ni una sola vez esta semana».
A Marta le parece raro que Ana ....

....

d. «Estoy un poco preocupada: en mi trabajo han despedido a varias personas en las últimas semanas».

A Marta le preocupa que ....

e. «¡Qué gracioso!: Paco ha cantado en el karaoke una canción de ABBA y lo ha hecho fatal».

A Marta le parece gracioso que Paco ....

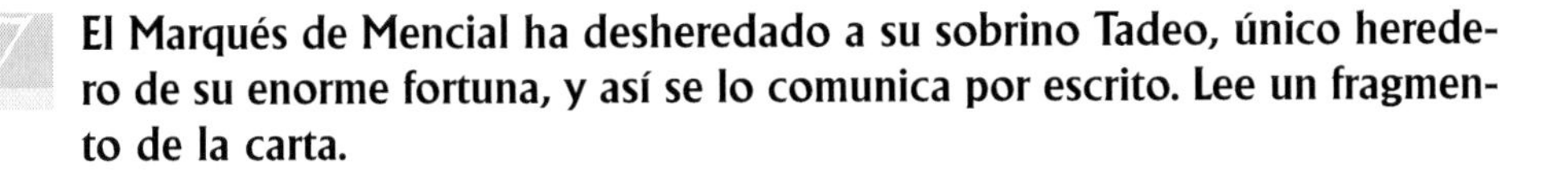

7 **El Marqués de Mencial ha desheredado a su sobrino Tadeo, único heredero de su enorme fortuna, y así se lo comunica por escrito. Lee un fragmento de la carta.**

...Y te desheredo porque me ha decepcionado profundamente tu comportamiento de estos últimos meses: **te acuestas** todos los días al amanecer; **has perdido** grandes cantidades de dinero jugando a las cartas; no **asistes** a tus clases en la universidad; **bebes** demasiado; **gastas** demasiado en ropa y viajes; y, sobre todo, **has abandonado** a tu prometida, la hija de los Condes de Cal, y ahora **sales** con esa cantante de cabaret, una tal Paulita Amor, que sólo te quiere por tu dinero...

Pero lo que más me molesta de todo es que **me prometiste** que **cambiarías** y no **has hecho** nada por modificar tus malas costumbres. Así que ya puedes buscarte un trabajo y...

Ahora completa la conversación entre Tadeo y Paulita. Para ello, tendrás que transformar los verbos señalados en negrita, según el ejemplo:

Paulita: ¿Cómo que te ha dejado sin nada? ¿Pero por qué? ¿Te ha dicho por qué?

Tadeo: Pues sí... Parece que le molestan algunas cosillas...

Paulita: ¿Qué cosillas? Cuenta, cuenta...

*Tadeo: Pues, por ejemplo, que **me acueste** todos los días al amanecer...*

Paulita: ¡Qué tontería! ¿Sólo por eso?

Tadeo: Pues no, verás. También le molesta que ....

CUANDO TENGA UN MOMENTO...

EXPRESAR RELACIONES TEMPORALES

4

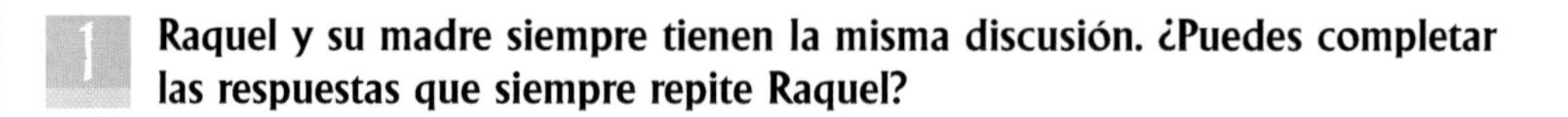

1 Raquel y su madre siempre tienen la misma discusión. ¿Puedes completar las respuestas que siempre repite Raquel?

Madre: Raquel, ¿cuándo vas a ordenar tu habitación?

Hija: Cuando termine los deberes, mamá...

Madre: ¿Y cuándo empezarás a hacer los deberes?

Hija: Cuando ____________________

Madre: ¿Y cuándo colgarás el teléfono?

Hija: Cuando ____________________

Madre: ¿Y cuándo acabarás de hablar con Esther?

Teoría

Para referirnos a un momento futuro, si no tenemos una información precisa sobre él, podemos utilizar el subjuntivo. De esa forma, podemos poner en relación dos hechos:

Iré a verte cuando ***pueda****.* (No sé cuándo voy a poder)

Existen varias posibilidades:

- Las dos acciones que relacionamos pueden tener lugar una a continuación de la otra. Fíjate en el cuadro:

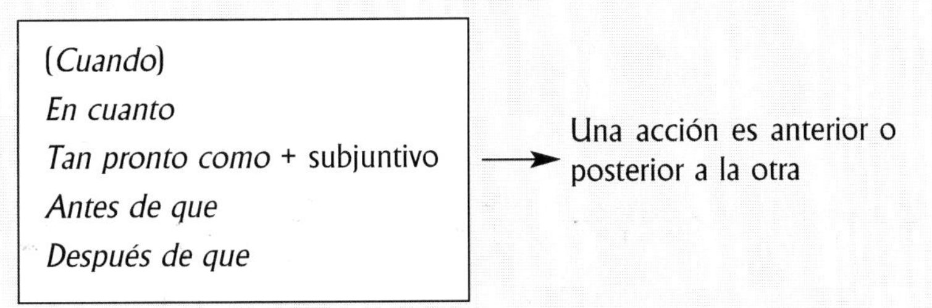

Ejemplos:

Tan pronto como acabe *mis estudios me iré a Estados Unidos a vivir.*

(Primero acabaré mis estudios. Inmediatamente después me iré a Estados Unidos).

Pasarán varias semanas ***antes de que sepamos*** *los resultados del examen.*

(Primero pasarán varias semanas. Después conoceremos los resultados).

- Las dos acciones pueden aparecer unidas de forma habitual:

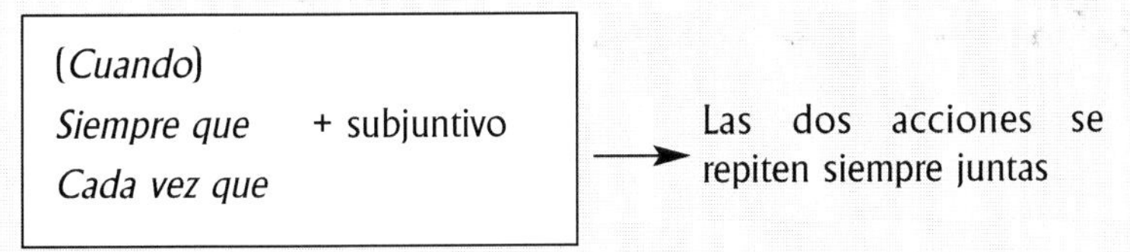

Ejemplos:

-De ahora en adelante, ***cada vez que quieras hablar*** *conmigo llama a este número.*

-Ya, y ***siempre que te llame*** *se pondrá tu secretaria.*

- Y hay una tercera posibilidad: una de las acciones pone fin a la otra:

Hasta que + subjuntivo

Ejemplos:

¿No ha venido? Pues esperaremos aquí ***hasta que llegue.***

(Cuando la persona llega, dejamos de esperar)

Todas estas expresiones (excepto *antes de que*) pueden ser utilizadas también con indicativo. En ese caso, nos referimos a acciones que ya han ocurrido en el pasado o que ocurren en el presente, de forma habitual:

Ejemplos:

En cuanto vio *la casa decidió comprarla.*

Siempre que pasa *por Sevilla viene a visitarnos.*

Vivió con sus abuelos ***hasta que se casó****.*

2 Ordena los elementos de las siguientes frases, según el modelo.

Ej.: *a esa fiesta / cambies de opinión / antes de que / vámonos /.* → *Vámonos a esa fiesta antes de que cambies de opinión.*

a. te cuente / podrás / no / después de que / dormir / esta historia /.

Despues de que te cuente esta historia no podrás dormir

b. en el hospital / se recupere / Antonio / hasta que / se quedará /.

Antonio se quedará en el hospital hasta que se recupere

c. mi nombre / me pondré / digan / de pie / tan pronto como /.

Tan pronto como digan mi nombre me pondré de pie

d. el perro / tendrás que / tú / siempre que / bañarlo / se ensucie /.

Siempre que el perro se ensucie tendrás que bañarlo tú

e. disculpas / digas / déjame / nada / pedirte / antes de que /.

Antes de que digas nada déjame pedirte disculpas

3 Transforma las siguientes oraciones utilizando la expresión sugerida, según el modelo.

Ej.: *Llegaremos al hotel y pediremos algo de comer. (en cuanto)* → *En cuanto lleguemos al hotel, pediremos algo de comer.*

a. Ahorraremos suficiente dinero y nos compraremos la casa. (en cuanto)

En cuanto ahorraremos sugiciente dinero, nos compraremos la casa

b. Voy a quedarme en la playa y cuando me llame mi marido me iré. (hasta que)

c. Me lo encontraré muchas veces y lo saludaré. (siempre que)

d. Vamos a terminar la reunión, se hace tarde. (antes de que)

e. Encontraremos una solución y te sentirás más aliviado. (después de que)

f. Se irán y entonces podremos ver la película sin interrupciones. (tan pronto como)

g. Le daré una explicación convincente y se calmará. (en cuanto)

Completa las siguientes oraciones con el verbo en indicativo o subjuntivo, según corresponda. Fíjate en el modelo.

Ej.: *Después de que (ver, tú) veas la película, si quieres, (comentar, nosotros) comentaremos su final.*

a. Siempre que (sacar, tú) saques entradas para el cine, comprueba la hora de la sesión.
b. Cuando (llegar, vosotros) llegasteis al hotel, ¿no visteis a Roberto delante de la puerta?
c. Siempre que (tener, ellos) tienen una discusión, nos llaman por teléfono para contárnosla.
d. Tan pronto como (ver, yo) vea a tu padre, pienso contarle lo que me has dicho.
e. En cuanto (conocer, tú) conozcas a Pablo entenderás por qué todo el mundo lo adora.
f. No tomaremos una decisión hasta que (estar de acuerdo, nosotros) estemos de acuerdo
g. Cuando (tener, yo) tengo una celebración importante, me gusta ponerme elegante.
h. Cada vez que (salir, tú) salgas de la habitación, por favor, cierra la puerta.
i. Antes de que (empezar, tú) empieces a gritar, voy a explicarte lo que ha pasado.

Teoría

Hemos visto que **cuando** puede ser utilizado tanto para indicar que dos acciones ocurren al mismo tiempo, como para indicar que una sucede a la otra, pero en un breve espacio de tiempo.

Ej.: ***Cuando tengas*** *el resultado de la revisión, llámame. (= En cuanto sepas...)*

Cuando pases *por mi barrio, ven a verme. (= Siempre que pases...)*

Pero también podemos utilizar el pretérito perfecto de subjuntivo para indicar que una acción se da con anterioridad a otra.

Ej.: ***Cuando*** *te* ***hayas calmado****, hablaremos del asunto. (= Primero te calmas, después hablamos del asunto)*

En este caso, ninguna de las dos acciones ha ocurrido todavía en el momento en que hablamos. Pero establecemos un orden futuro para el momento, aún sin definir, en que ocurran.

5

El jefe de Rodolfo es bastante desordenado. Fíjate en todas las instrucciones que le ha dejado escritas en una nota y ayuda a Rodolfo a ponerlas en el orden adecuado.

—Cuando termine usted el informe que está escribiendo, envíeme una copia; [1]

—Cuando haya llamado al Gerente, prepare los documentos de la reunión de ayer; [ ]

—En cuanto me haya enviado la copia, llame al Gerente y dígale que venga a mi despacho; [ ]

—Cuando haya citado a nuestros socios, mándele un correo urgente a nuestro representante en Méjico para preguntarle cómo va la promoción del producto; [ ]

—En cuanto el Gerente entre en mi despacho, cite por teléfono a nuestros socios de Cantisa, S. A., para mañana a las once; [ ]

—Tan pronto como haya hablado con el representante en Méjico, llámeme para informarme sobre esa conversación. [ ]

6

En el concurso de televisión *«¡Qué feliz voy a ser!»* los concursantes cuentan ante las cámaras qué cosas creen que les harán felices en el futuro, para encontrar personas que tengan los mismos intereses y deseos que ellos. Aquí tienes algunas de las respuestas que han dado.

Ej.: *«¡Qué feliz voy a ser... ... cuando haya terminado de pagar mi hipoteca!»*
... cuando haya visitado Machu Picchu!»
... cuando conozca a la mujer de mi vida!»
... cuando mis hijos se hayan ido de casa!»
... cuando me jubile!»

Es tu turno como concursante en el programa: ¿qué cinco cosas crees que pueden hacerte más feliz en el futuro? Escríbelas en tu cuaderno.

7 **Paco, cantante profesional, de nombre artístico *Paco Lamour,* se ha enamorado de Matilde y, como es lógico, ha pensado en dedicarle una canción para conquistarla. Pero tiene algunas dificultades gramaticales a la hora de componerlas. ¿Por qué no lo ayudas? Completa los versos con indicativo o subjuntivo, según creas que corresponde.**

«Matilde, vida mía, cada vez que te (mirar, yo) ________
me pellizco y me digo: ¡Qué suerte he tenido!
¡Oh-oh-oh, sí, qué suerte he tenido!
Y ahora, antes de que (enfadarse, tú) __________ por mis torpes piropos,
antes de que la noche (caer) _________ sobre nosotros,
¡antes de que el amor me (cegar) __________ de nuevo,
déjame que te cante lo mucho que te quiero!

(Estribillo)
Porque yo te adoro y en serio te lo digo:
tan pronto como (encontrar, yo) __________ un trabajo fijo
te juro que yo, Paco, me caso contigo.
Me caso, oh Matilde, me caso contigo,
en cuanto (haber encontrado) _____________ un trabajo fijo.
Oh-oh-oh, sí, un trabajo fijo. ¡Hey!

Siempre que te (abrir, yo) __________ mi pobre corazón
tú te ríes de mí, no tienes compasión.
Pero, cuando (ser, yo) _________ famoso y cante en el Albert Hall,
¿creerás, mujer ingrata, entonces, en mi amor?
Cada vez que te (decir, yo) ________ que mi amor es sincero,
tú te mueres de risa, no ves mi sufrimiento.

(Estribillo)
Porque yo te adoro y en serio te lo digo: [...]

Siempre que me (necesitar, tú) ____________,
siempre que (querer, tú) ________________ hablar,
siempre que (buscar, tú) _______________ apoyo, aquí me encontrarás.
Hasta que un día, Matilde,
(comprender, tú) __________ la verdad. ¡Oh, yeah!

ELEMENTAL, QUERIDO WATSON.

EXPRESAR OPINIONES, PROPUESTAS Y SUGERENCIAS

1 **Sherlock Holmes está realizando otra de sus famosas investigaciones. Partiendo de todas las pistas que encuentra, ¿podrías completar sus comentarios?**

a. El asesino **ha perdido** su carné de identidad...

b. El asesino **ha dejado** su tarjeta de visita...

c. El asesino **ha salido** tranquilamente por la puerta...

d. Al asesino se le **han caído** las llaves con la dirección de su casa...

e. **Es elemental:** el asesino **quiere** que lo encontremos.

a. Mmmm... **Es increíble** que el asesino **haya perdido** su carné de identidad...

b. Mmmm... **Es sorprendente** que el asesino ____________ su tarjeta de visita...

c. Mmmm... **Es curioso** que el asesino ____________ tranquilamente por la puerta...

d. Mmmm... **Es extraño** que al asesino se le ____________ las llaves con su dirección...

e. ¡Ajá! Querido Watson: **es elemental** que el asesino ____________ que lo encontremos.

Teoría

Como has visto, también podemos usar el subjuntivo para valorar informaciones previas. En su investigación, Sherlock Holmes encuentra algunas pistas, que son informaciones, y las valora, por eso utiliza el subjuntivo: *«Es increíble que el asesino **haya perdido** su carné de identidad».*

Pero en el último caso, no se trata de una información conocida previamente, sino de la conclusión a la que ha llegado el investigador y que el doctor Watson oye por primera vez. Por eso utiliza el indicativo: *«Es elemental que el asesino **quiere** que lo encontremos».*

2 **Aquí tienes algunas de las expresiones que podemos utilizar para valorar informaciones. Selecciona las que consideres más adecuadas para completar las siguientes frases, teniendo en cuenta el sentimiento que quieres reflejar. En algunos casos podría haber más de una posibilidad.**

a. ____________ que presente usted todos los documentos en regla, si quiere que tengan en cuenta su reclamación. (Necesidad, obligación)

b. ____________ que los niños comiencen a relacionarse entre sí desde una edad muy temprana. (Conveniencia)

c. ____________ que se haya ido sin avisar ni dejar una dirección de contacto. (Sorpresa, extrañeza)

d. ____________ que tu tío ahora no quiera ver a nadie, con lo sociable que era de joven. (Sorpresa, extrañeza)

e. No contéis conmigo para esa cena: ____________ que tenga que salir de viaje en esas fechas. (Posibilidad)

f. Señores: ____________ que esta reunión sirva para alcanzar por fin un acuerdo entre las partes. (Conveniencia)

g. Pues, la verdad: creo que ____________ que no seamos capaces de hablar de este tema sin enfadarnos. (Pesar, tristeza)

h. __ absolutamente ____________ que nos pidan más dinero, después de todo lo que hemos pagado hasta el momento sin ver resultados de su gestión. (Rechazo)

i. Teresa y Ramón llevan más de diez años separados: ____________ que vayan a hacer las paces para la boda de su hijo. (Rechazo)

j. ____________ que tengas la oportunidad de hacer un viaje tan exótico: tienes que aceptar inmediatamente. (Alegría, agrado)

k. Yo no estoy de acuerdo con vosotros: creo que ____________ que vayamos en autobús, que es más rápido y más barato. (Conveniencia)

l. ____________ que este centro deportivo tenga unas instalaciones tan anticuadas. (Pesar, tristeza)

Teoría

Como hemos visto en otros casos de subjuntivo, el tiempo verbal depende del contexto: si nos referimos al presente o al futuro con respecto al momento en que estamos hablando, o bien utilizaremos el presente de subjuntivo. En cambio, si nos referimos al pasado, estamos hablando de una probabilidad o hipótesis presente o futura, utilizaremos los pasados de subjuntivo más apropiados para cada caso.

3 **Completa las siguientes frases de la forma que consideres más adecuada. Fíjate en los tiempos de los verbos, pero también en los matices de significado. Recuerda que puede haber más de una posibilidad y que eso podría modificar el significado.**

1. Era imprescindible	a. que hubieran dicho antes de salir hacia dónde se dirigían.
2. Ha sido una suerte	b. que amenazásemos con llamar a la policía para que dejaran de intimidarnos.
3. Habría sido útil	c. que, siendo íntimos amigos, Nacho les contara su problema a todos menos a mí.
4. Es curioso	d. que pudieras quedarte una semana más.
5. Fue indignante	e. que los rehenes no perdieran los nervios durante el atraco.
6. Es innecesario	f. que hayan dado un espectáculo tan penoso en una celebración familiar.
7. Ha sido lamentable	g. que toméis tantas precauciones en un barrio tan tranquilo.
8. Sería estupendo	h. que hayáis encontrado el collar antes de denunciar el robo.
9. Era bastante difícil	i. que saliese dos veces seguidas el mismo número.
10. Es ridículo	j. que este caso de violencia juvenil no fuese un hecho aislado.
11. Sería preocupante	k. que te vistas como una jovencita a tu edad.
12. Ha sido necesario	l. que Pepe no esté nervioso en vísperas de la inauguración de su restaurante.

Teoría

En todos los casos que hemos visto hacemos valoraciones sobre hechos referidos a alguien o a algo en concreto. Sin embargo, a veces queremos hacer valoraciones de carácter general, sin personalizar, o no queremos especificar quién lleva a cabo la acción. En ese caso, utilizamos el infinitivo. Fíjate en el ejemplo:

Ej.: ***Es necesario tomar*** *una decisión sobre la venta de la casa.*
Es necesario que tomemos (nosotros) una decisión sobre la venta de la casa.

Transforma las siguientes frases utilizando el infinitivo o el subjuntivo, según el modelo.

Ej.: *Hay que llamar al médico con urgencia si se observan síntomas de intoxicación. Es aconsejable.* → *Es aconsejable llamar al médico con urgencia si se observan síntomas de intoxicación.*

a. Esa montaña es muy peligrosa y su subida provoca todos los años varias víctimas. Es una locura. →

b. Se veía a la gente abrazándose y sonriendo. Era muy emocionante. →

c. En el aeropuerto nos han hecho esperar más de dos horas hasta que han sacado las maletas. Es intolerable. →

d. En Navidad se gasta muchísimo dinero en comida y en regalos. Es inevitable. →

e. No habrá otro futbolista tan bueno como él en mucho tiempo. Es muy improbable. →

f. Desde ese mirador se ve toda la bahía iluminada. Es impresionante. →

g. A veces creemos que es mejor proteger en exceso al niño. Es un error. →

h. El director no respondió a ninguna de las preguntas planteadas. Es muy significativo. →

i. Siempre se encuentran personas dispuestas a ayudar. Es estupendo. →

Teoría

¿Recuerdas la conclusión de Sherlock Holmes?: «***Es elemental*** *que el asesino* ***quiere*** *que lo encontremos*».

En ese caso no necesitamos subjuntivo, sino indicativo, porque no se trata de una valoración sobre una información conocida previamente, como en los otros casos: es un hecho que se comunica por primera vez. En este tipo de construcciones aparece siempre un adjetivo que indica certeza. Aquí tienes algunos ejemplos, además del que ya has visto:

Es obvio que	Está claro que	Es innegable que
Es evidente que	Es verdad que	Está demostrado que
Es indudable que	Es cierto que	Es indiscutible que

5 Completa las siguientes frases con la forma del verbo que creas más adecuada, seleccionándola de cada pareja de opciones.

a. ¿No era un poco raro que ____________ tan pocos policías vigilando el traslado de las joyas?
b. Sería lamentable que te ____________ por una tontería así.
c. Es cierto que él ____________ ayudarnos desde el principio.
d. Era indudable que tu padre ____________ tantas ganas de divertirse como nosotros.
e. En mi opinión, era obvio que ____________ de más en aquella reunión familiar.
f. Pues yo creo que es bastante lógico que ____________ si no apareces por casa hasta las dos de la mañana.
g. De acuerdo: es evidente que no ____________ contarnos qué te pasa, así que vamos a dejarlo.
h. Era inadmisible que ____________ cobrarnos por un servicio que no habían prestado.
i. Bien: está bastante claro que no ____________ usted colaborar en el proyecto.
j. Pues no sé: con tu perfil, yo creo que es muy improbable que te ____________ esa plaza en el Ministerio.

den / dan
pretendieran / pretendían
piensa / piense
tenía / tuviera
quieras / quieres
estuviéramos / estábamos
había / hubiera
nos preocupamos / nos preocupemos
despidieran / despedían
haya intentado / ha intentado

Fíjate en los siguientes titulares de periódico y escribe tu valoración respecto a cada uno de ellos, siguiendo el modelo.

El Gobierno sancionará con multas de hasta 500 euros a quienes fumen en los ascensores.

Me parece estupendo que el Gobierno sancione a quienes fumen en los ascensores.

Las personas que más comen son las que mayor obesidad desarrollan.

La edad límite para disfrutar de una beca de estudios se ampliará el próximo año hasta los cuarenta años.

Según una importante revista científica, las mujeres tienen más paciencia que los hombres.

Los niños que escuchan música desde el vientre materno tienen muchas posibilidades de llegar a ser grandes cantantes.

Las familias que utilicen exclusivamente el transporte público recibirán una bonificación del Ayuntamiento.

Tres importantes barrios de la ciudad continúan sin agua potable desde hace tres meses.

EXPRESAR FINALIDAD

1 **Gloria ha salido a comprar los regalos de Navidad y ha vuelto con cosas para ella y para toda su familia. Aquí tienes algunos de los regalos que ha comprado y sus destinatarios. ¿Puedes completar la lista? Fíjate bien en los ejemplos y continúa tú.**

Gloria ha comprado...

Ej.: *... un reloj de pulsera para su hermana: para que* ***sea*** *un poco más puntual.*
... un pañuelo de seda para ella: ***para estrenarlo*** *el día de su aniversario de boda.*

a. ... la película «Los puentes de Madison» *para su madre*: para (disfrutar) .... llorando con sus amigas.

b. ... una radio de ducha *para su marido*: para (poder) .... escuchar las noticias mientras se ducha.

c. ... un libro de cocina asiática *para su hermano*: para (cambiar) .... su dieta de tortilla de patata.

d. ... una pulsera de perlas *para su madre*: para (ser) .... la más elegante cuando salga con sus amigas.

e. ... la última novela de amor de Cecilia Mylove *para ella*: para (leer) .... las noches que sólo hay fútbol en la tele.

Teoría

Un uso frecuente del subjuntivo es la expresión de la finalidad. En este caso, hay que establecer una diferencia importante: cuando las dos acciones tienen un mismo sujeto, se indica finalidad con **para + infinitivo**; cuando las dos acciones tienen un sujeto diferente, se usa **para que + subjuntivo**:

Ej.: *Le daré yo la noticia **para evitar** que se entere por otras personas.* →

Yo le doy la noticia / Yo evito que se entere por otras personas.

*Avísame con tiempo **para que pueda** preparar mi intervención.* →

Tú me avisas / Yo puedo preparar mi intervención.

Sin embargo, hay un uso que constituye una excepción a esa norma: cuando los sujetos son diferentes pero la expresión indica que existe una cooperación, una ayuda, que la acción de uno complementa la del otro o las dos están destinadas al mismo fin:

Ej.: *Mamá, dame el número de tu médico **para llamarlo** ahora mismo.*

2 Completa las siguientes frases marcando el final que consideres más adecuado, según el modelo.

Ej.: *Prométeme que vas a venir a ver el apartamento que me he comprado en la playa...*
***para pasar los veranos** / para que pase los veranos.*

a. Hemos pintado el dormitorio en un tono suave...
para que durmamos mejor / para dormir mejor.

b. Queremos traernos a mi madre...
para que pasemos juntos la Navidad / para pasar juntos la Navidad.

c. Te llamo cuando llegue...
para quedarte tranquilo / para que te quedes tranquilo.

d. ¿Por qué no avisas a Teresa...
para que venga a buscar sus libros? / para venir a buscar sus libros?

e. Mira, me han regalado otro despertador...
para que no vuelva a quedarme dormido / para no volver a quedarme dormido.

f. Hemos decidido vender el coche...
para que ahorremos un poco más todos los meses / para ahorrar un poco más todos los meses.

Teoría

Como en otros muchos usos, si esa finalidad se refiere a un momento presente o futuro, el verbo deberá ir en presente de subjuntivo:

Ej.: *Te lo digo ahora **para que** luego no **te lleves** una sorpresa.*

En cambio, cuando la finalidad se refiere al pasado o depende de una hipótesis expresada por un verbo principal en condicional, entonces el verbo irá en imperfecto de subjuntivo:

Ej.: *Ayer nos marchamos **para que** no **se enfadara** más al vernos.*

*Yo preferiría salir antes **para que** no **nos pillara** el atasco.*

Hay también un uso coloquial, en el que desaparece **para** (aunque se sobreentiende) y la finalidad la expresa directamente el verbo en subjuntivo. Se suele utilizar en situaciones en las que se dan órdenes breves:

Ej.: *Carlitos, ven, que **te peine**.*

3 **Completa el siguiente crucigrama con el tiempo verbal que consideres más adecuado; puedes utilizar los siguientes verbos.**

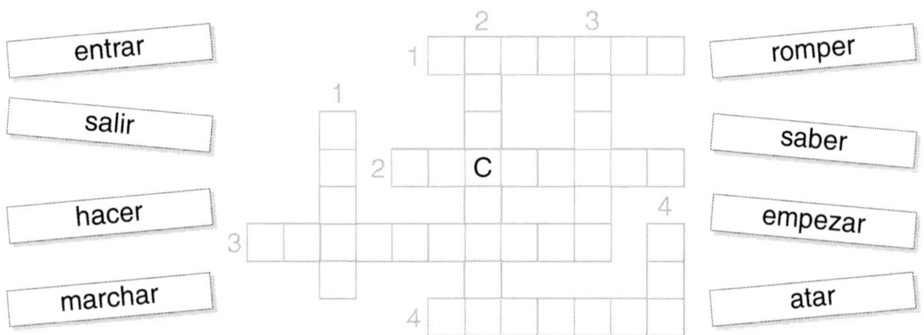

HORIZONTALES

1. Avisa a Antonio para que ______________ a sacar las cosas del almacén.

2. Yo contrataría a esos abogados para que ______________ todas las gestiones.

3. Nos llamó la noche de antes para que ______________ que estaba dispuesto a ayudarnos con la mudanza.

4. Jaime envió una nota al periódico para que ______________ en la edición digital.

VERTICALES

1. Hay que vigilar al niño para que no ______________ el jarrón que nos regaló tu tía.

2. Tuvimos que mentirle para que se ______________ tranquilo.

3. Mira, te dejo las llaves del piso para que ______________ sin tener que despertar a la abuela.

4. Ven aquí, que te ______________ los zapatos.

Teoría

La expresión de la finalidad puede servirse de varias expresiones, además de la preposición **para**, aunque resultan algo más formales. Aquí tienes algunas de ellas:

a fin de	*con el objeto de*	*con vistas a*
con el fin de	*en orden a*	*con miras a*
con la intención de		

También la preposición **a** sirve para expresar finalidad, aunque suele aparecer unida a verbos que indican dirección o desplazamiento, como **ir** o **venir**:

Ej.: *Buenos días. Vengo a informarme / a que me informen sobre los trámites de empadronamiento.*

4 Sustituye el verbo que aparece en infinitivo por el tiempo verbal que consideres más adecuado.

a. Hablaron del tema conmigo antes de la reunión con el objeto de que (cambiar, yo) ____________ de opinión.

b. La Navidad pasada nos llevamos de viaje a Silvia con la intención de que (olvidarse, ella) ____________ de sus problemas durante unos días.

c. Vengo a que me (dar, ustedes) ____________ una explicación.

d. Yo creo que debe de haber comprado esa casa con vistas a que los niños (poder) ____________ correr libremente por los alrededores.

e. Presento mi dimisión irrevocable a fin de que (desaparecer) ____________ todas las tensiones que han surgido en los últimos días.

f. Te llamo para que (saber, tú) ____________ que entiendo y apoyo tu decisión.

g. Está estudiando Derecho con miras a que su padre le (ofrecer) ____________ un puesto en su bufete al terminar la carrera.

h. Fui a que me (entregar, ellos) ____________ los documentos que necesito para el viaje.

i. Te he contado todo lo que sé para que no (pensar, tú) ____________ que te oculto algo.

j. Vendimos aquella casa con el fin de que eso (solucionar) ____________ todos los problemas económicos de la familia.

5 **En la serie de televisión que cuenta la vida de la poderosa familia Planning todo son intrigas entre ellos. Fíjate en este resumen de uno de sus capítulos.**

«Ángela Planning, la malévola matriarca del clan, ha comenzado a mover los hilos que le permitirán controlar a todos sus parientes. Así, conocedora del amor que siente su nieto favorito, Lorenzo, por la hija del médico del pueblo, habla con el alcalde y logra que el médico sea destinado a la otra punta del país. Al mismo tiempo, organiza una suntuosa fiesta, a la que invita a las autoridades locales, pues sabe que la bella y ambiciosa hija del alcalde está deseosa de conocer a Lorenzo.

Por otra parte, su hermano Rogelio continúa dándole quebraderos de cabeza por su generosidad desmedida y su gusto por la buena vida, por lo que decide comprarle su parte de la casa y los viñedos antes de que sea demasiado tarde y convencerlo para que pase su jubilación en Benidorm.

Respecto a su hija María Elena, infeliz en su matrimonio con un importante y despiadado hombre de negocios, la poderosa Ángela siente gran preocupación: cree que desea divorciarse y huir con el administrador, por quien siente debilidad, por lo que contrata a un famoso consejero matrimonial a domicilio, que durante los próximos meses observará y aconsejará a la pareja.

Finalmente, la propia Ángela, enamorada en secreto de su mayordomo Matías, teme perderlo ante la llegada a la casa de una joven y bella cocinera, y decide, cruelmente, despedirla y proponerle a Matías una boda secreta durante el verano, cuando convenza a su familia para que se marche a Italia a pasar las vacaciones...».

Ahora responde a las siguientes preguntas. Utiliza diferentes expresiones de finalidad, como has visto en el ejercicio anterior:

a. ¿Para qué habla Ángela Planning con el alcalde del pueblo?

b. ¿Para qué invita a las autoridades locales a la gran fiesta que celebra?

c. ¿Para qué le compra a su hermano Rogelio su parte de la casa y los viñedos?

d. ¿Para qué contrata Ángela Planning a un conocido consejero matrimonial?

e. ¿Para qué despide Ángela Planning a la nueva cocinera?

f. ¿Para qué planea Ángela Planning enviar a su familia a Italia de vacaciones?

¿Has pensado alguna vez en las razones por las que hacemos muchas cosas cotidianas? Fíjate en el modelo y piensa en tu razón para ello.

Razones para...

Ej.: *... hacer la cama todas las mañanas, si vamos a volver a deshacerla por la noche...* → *Hago la cama todas las mañanas* ***para que sea más agradable meterse en ella por la noche / para que el dormitorio esté más ordenado / para que mi madre no se enfade****, etcétera.*

a. ... peinarnos antes de salir de casa los días que hace viento...

b. ... limpiar el polvo, si al día siguiente vuelve a estar en el mismo sitio...

c. ... comprar el periódico, si trae las noticias del día anterior...

d. ... leer un libro que ya hemos leído o ver una película que ya hemos visto...

e. ... guardar la ropa de invierno, si tenemos que volver a sacarla dentro de unos meses...

f. ... felicitar a un amigo por su cumpleaños, si sabemos que no le gusta recordar su edad...

g. ... ponernos morenos en verano, si el bronceado desaparece en unas pocas semanas...

EXPRESAR HIPÓTESIS Y DIFERENTES GRADOS DE CERTEZA

1 Fíjate en Alfonso. ¿Qué crees que le pasa? Piensa en varias posibilidades y escríbelas. Pero antes, fíjate en los tiempos de los verbos.

a. A lo mejor **le duele una muela**...

b. Puede que **esté deprimido**...

c. A lo mejor ______________________

d. Puede que ______________________

e. A lo mejor ______________________

f. Puede que ______________________

Teoría

El subjuntivo también sirve para indicar las probabilidades que algo tiene de ser cierto. Hay muchas expresiones que sirven para expresar hipótesis y mayor o menor grado de certeza sobre algo. Algunas necesitan ir acompañadas siempre de indicativo, como en el caso de *a lo mejor,* mientras que otras siempre van acompañadas de subjuntivo, como *puede que.* Pero también hay varias expresiones que pueden ir acompañadas indistintamente de indicativo o de subjuntivo, sin que haya ninguna diferencia. Aquí tienes algunas de estas expresiones:

Seguramente; Seguro que; A lo mejor; Igual	+ INDICATIVO
Es posible que; Es probable que; Puede que; Puede ser que	+ SUBJUNTIVO
Quizá / Quizás; Tal vez; Probablemente; Posiblemente	+ INDICATIVO / + SUBJUNTIVO

2 **Fíjate en los verbos y completa las siguientes frases con las expresiones de hipótesis del cuadro anterior que consideres adecuadas, pero procura no repetir ninguna.**

a. No te enfades: .... no te ha oído y por eso no te contesta.

b. ¿Sabes lo de Carla? Se ha roto una pierna al caerse de la moto y .... no pueda asistir mañana a la entrega de premios.

c. Pues, la verdad: .... estamos siendo muy duros con él y resulta que lo ha hecho sin mala intención.

d. Luego te llamo porque .... tenga que quedarme también esta noche a trabajar.

e. ¿Sabes qué te digo? Que .... después de todo Jaime aparece tan tranquilo, sin imaginarse lo preocupados que nos tiene.

f. Perdone, ... usted pueda ayudarme: creo que me he perdido.

g. .... no me haya entendido usted bien: le he dicho que no quiero pescado.

h. Venga, no exageres: .... no te has hecho tanto daño como dices.

i. Te dejo dinero sobre la mesa: .... luego vengan a entregar el pedido de la tienda.

j. No creas que está todo perdido: .... que me llamen para hacer la entrevista porque no éramos muchos candidatos al puesto.

! **ATENCIÓN:**

Igual se utiliza de forma más coloquial e indica que no creemos muy posible lo que estamos diciendo: *Igual se ha marchado de casa* indica que, en el fondo, esa opción se nos está ocurriendo en ese momento, pero que no la vemos demasiado probable.

Quizá / Quizás y **tal vez** son más formales, sobre todo **tal vez**. La diferencia entre **quizá** y **quizás** es de frecuencia de uso: es más habitual la primera, pero su significado y funcionamiento es el mismo.

A lo mejor e **igual** indican un grado de seguridad bajo, poca confianza del hablante en esa posibilidad, mientras que **seguramente** y **seguro** indican el grado más alto o, al menos, la mayor confianza del hablante en que se hagan realidad. Las demás expresiones se mantienen en un grado intermedio de seguridad.

Teoría

Las expresiones de hipótesis con subjuntivo que estamos viendo no influyen sobre la elección de los tiempos verbales: estos dependen del contexto. Fíjate:

Imagina que llegas a casa y no encuentras a tu perro.

Estas son algunas de las probabilidades que se te ocurren y cómo las expresarías:

Está debajo de la cama (presente indicativo)	Puede que esté debajo de la cama (presente subjuntivo)
Saldrá cuando tenga hambre (futuro)	Puede que salga cuando tenga hambre (presente subjuntivo)
Tenía miedo y se ha escondido (imperf./perf. indicativo)	Puede que tuviera/tuviese miedo y se haya escondido (imperf./perf. subjuntivo)
Sería mejor llevármelo cuando salga (condicional simple)	Puede que sea/fuera/fuese mejor llevármelo cuando salga (presente/imperfecto subjuntivo)
Habría sido mejor llevármelo (condicional compuesto)	Puede que hubiera/hubiese sido mejor llevármelo (pluscuamperfecto de subjuntivo)

3 Completa cada una de las siguientes frases con el tiempo verbal que consideres adecuado.

1. Llevamos demasiado tiempo esperándolo: puede ser que ya ________.
   a. se ha marchado b. se haya marchado
2. ¿No has encontrado las gafas? Seguro que las ________ en casa de tu madre.
   a. has dejado b. hayas dejado
3. Igual ________ un poco duro con ella; después de todo, no ha sido tan grave.
   a. has sido b. hayas sido
4. No me gusta nada ese vestido. Quizá si lo ________ en otro color...
   a. tengan b. tuvieran

Fíjate ahora en las siguientes situaciones y en las hipótesis que hacemos sobre ellas y marca el tiempo verbal que te parezca más adecuado para completarlas, según el modelo.

Ej.: *Son las diez y Jimena no ha llegado a la oficina. (Crees que se ha dormido). → Probablemente se duerma /* ***se haya dormido*** */ se durmiera / se hubiera dormido.*

a. Pablo tiene muy mala cara. (Crees que se encuentra mal).

Quizá se encuentre / se haya encontrado / se encontrara / se hubiera encontrado mal.

b. Su coche no arranca. (Crees que ha olvidado echarle gasolina).

Es probable que olvide / haya olvidado / olvidara / hubiera olvidado echarle gasolina.

c. Tendríamos que haber reservado un salón más grande. (Crees que habría ido más gente).

Puede que vaya / haya ido / fuera / hubiera ido más gente.

d. Paco tiene un amigo que vive en Nueva York. (Crees que irá a visitarlo).

Posiblemente vaya / haya ido / fuera / hubiera ido a visitarlo.

e. El Ministro va a dar una rueda de prensa. (Crees que ha decidido dimitir).

Quizá decida / haya decidido / decidiera / hubiera decidido dimitir.

f. Camila está buscando piso. (Crees que ha dejado a Antonio).

Puede ser que deje / haya dejado / dejara / hubiera dejado a Antonio.

g. La novia de Andrés nunca hablaba con sus amigos. (Crees que era tímida).

Puede que sea / haya sido / fuera / hubiera sido tímida.

h. Alberto tenía que haber cambiado antes de coche. (Crees que habría tenido menos problemas).

Quizás tenga / haya tenido / tuviera / hubiera tenido menos problemas.

i. Elena no me llama desde que discutimos. (Crees que sigue enfadada contigo).

Probablemente siga / haya seguido / siguiera / hubiera seguido enfadada conmigo.

j. Han quitado el cartel de *Se vende* de ese piso. (Crees que lo han vendido).

Probablemente lo vendan / hayan vendido / vendieran / hubieran vendido.

k. Tenía que haberle dado la noticia con cuidado. (Crees que habría sido mejor).

Quizás sea / haya sido / fuera / hubiera sido mejor.

Pocholo está harto de ser como es y ha decidido tomar algunas decisiones para cambiar de vida. Ahora está escribiendo un correo electrónico a su hermano Guillermo, que vive en Australia, para contarle sus intenciones. Ayúdale a completar el texto con los verbos que aparecen a continuación.

sacar · hacer · estar · servir · conseguir · matricularse · ir · haber · ser · quedarse · encontrar · ayudar · causar

Archivo Edición Ver Favoritos Herramientas Ayuda

Dirección http://www.

¡Hola, Guillermo! Hace días que no te escribo, ¿verdad? Puede que ya (a) __________ dos semanas y no me he dado cuenta. Bueno, es que he estado muy ocupado, pensando en mi vida y en mi futuro. Ya sabes que pronto cumpliré los treinta y no puedo continuar así, sin tomar decisiones importantes.

Por lo pronto, he estado pensando que quizá (b) __________ a verte este verano, para considerar las posibilidades de trabajo que hay ahí. Puede que (c) __________ mejor ir el año pasado, que tenía dinero. Ahora, como llevo algún tiempo buscando trabajo, la verdad es que no tengo mucho. Aunque a lo mejor no (d) __________ en la mejor situación para un viaje tan caro... Tendré que pensarlo.

Otra cosa que he decidido es que tengo que estar más seguro de mí mismo. Es posible que no (e) __________ trabajo hasta ahora por esa razón. Seguro que (f) __________ gente menos preparada que yo, pero con más carácter, que consigue trabajo con mayor facilidad. Probablemente no (g) __________ buena impresión en las entrevistas por mi actitud. ¿Sabes qué te digo? Que igual me (h) __________ hacer un curso de esos para ganar confianza en uno mismo. Posiblemente en el periódico (i) __________ alguno, luego miraré.

También puede ser que me (j) __________ el carné de conducir. Ya sabes que nunca he tenido mucho interés por los coches, pero quizá eso también me (k) __________ para presentarme a más variedad de trabajos. Y es posible que (l) __________ en un curso de inglés, aunque, como estamos en marzo, tal vez ya no (m) __________ plazas y tenga que esperar a septiembre.

En fin, como ves, todavía tengo mucho que pensar y decidir. Cuando tome alguna decisión respecto al viaje, te lo diré. Mientras tanto, escríbeme y cuéntame qué tal todo.

Un fuerte abrazo,

Pocholo

Listo · Internet

6 **Fíjate en las siguientes situaciones y propón las hipótesis que te parezcan adecuadas, según el modelo. Presta atención al modo del verbo que necesitas en cada una:**

Ej.: *Estás en la oficina un lunes por la mañana y ves entrar a tu jefe vestido de etiqueta y con una botella de champán en la mano.*

1. *A lo mejor ayer estuvo en una boda y viene directamente del banquete.*
2. *Puede que sea su cumpleaños y quiera celebrarlo desde muy temprano.*
3. *Quizá tenga una celebración familiar después del trabajo.*

a. Te cruzas en la escalera con tu vecina de al lado, una señora bastante mayor y muy seria, y descubres que lleva el pelo verde y de punta.

1. Igual ______
2. Seguramente ______
3. Probablemente ______

b. Vas por la calle y ves venir hacia ti a uno de tus amigos, acompañado de un famoso actor de televisión.

1. Tal vez ______
2. Puede ser que ______
3. Es posible que ______

Ahora haz lo mismo con estas otras situaciones, pero esta vez tú escribes la hipótesis completa:

a. Un amigo de Brasil te envía por tu cumpleaños un paquete. Aunque llega perfectamente cerrado, al abrirlo ves que está vacío.

b. Son las once de la noche y llaman a la puerta. Cuando abres, ves que son dos bomberos.

c. Ayer pintaste tu salón en un suave tono anaranjado, pero esta mañana, al levantarte, ves que las paredes están llenas de manchas marrones.

d. Esta mañana, al llegar al trabajo, tus compañeros no te devuelven el saludo y actúan como si no te vieran.

e. Llevas más de media hora sentado en un café y hay una persona en la mesa de enfrente que te mira fijamente desde que has llegado.

f. Tu nuevo vecino de enfrente sale todos los días de casa a las doce de la noche con sombrero, gabardina y gafas de sol.

8 **El programa de televisión *Esta es su vida... ¿o no?,* sale a la calle para preguntar a la gente cómo se imaginan en un futuro próximo. Éstas son algunas de las preguntas que están haciendo. ¿Qué responderías tú? Fíjate en el modelo y responde utilizando las expresiones de hipótesis que has visto en esta unidad.**

—Perdone, es para «Esta es su vida... ¿o no?». ¿Podemos hacerle algunas preguntas? Por ejemplo: ¿Cómo ve usted su futuro familiar dentro de quince años?

—Pues... No sé, yo creo que quizá esté casado, porque hace ya dos años que salgo con mi novia. Y puede que también tenga hijos.

—¿Y dónde se imagina viviendo?

—Pues... Probablemente viva en esta misma ciudad, porque me gusta mucho y de momento no tengo planes de irme...

a. ¿Cómo ve usted su futuro familiar dentro de quince años?

b. ¿Dónde se imagina viviendo en esa época?

c. ¿Qué trabajo cree que estará haciendo entonces?

d. ¿Qué cree que hará en su tiempo libre?

e. ¿Cuántas lenguas extranjeras cree que hablará dentro de quince años?

f. ¿Qué países cree que habrá visitado dentro de quince años?

g. De las cosas que hace ahora, ¿cuáles cree que ya no hará dentro de quince años? ¿Por qué?

SI YO FUERA RICO...

EXPRESAR CONDICIÓN

1 **Ambrosio es un pirata sin vocación. Lo único que desea es encontrar el tesoro del famoso pirata Rocamalo para poder retirarse. ¿Puedes completar sus pensamientos?**

Teoría

¿Te has fijado en los deseos de Ambrosio? Cuando piensa en la posibilidad, todavía no muy clara, de encontrar el tesoro, utiliza ***si* + pretérito imperfecto de subjuntivo**. Después, cuando ve sus posibilidades más reales, utiliza ***si* + presente de indicativo**. Sin embargo, cuando finalmente encuentra el cofre vacío, utiliza ***si* + pluscuamperfecto de subjuntivo**, ya que la oportunidad ha pasado.

Es decir, utilizamos ***si* + indicativo en presente** o **pasado** cuando consideramos que la acción a que nos referimos es probable. En cambio, cuando la vemos muy lejana o incluso imposible, utilizamos ***si* + subjuntivo en imperfecto** o **pluscuamperfecto**.

Como ves, nunca se utiliza el ***si* condicional** con el presente ni pretérito perfecto de subjuntivo, y tampoco con un futuro ni con un condicional.

2

Completa las siguientes frases con la forma del verbo que creas más adecuada, según el modelo. Puedes utilizar los verbos que aparecen a continuación.

Ej.: *Si* ***vinieran*** *todos los invitados, no tendríamos suficientes sillas.*

querer — decidir — ir — preguntar — acabar — imaginar — ser — volver — pensar — hacer

a. Si Antonio ________ por mí, dile que he bajado al almacén.

b. Si ya ________ con esos libros, vuelve a ponerlos en su sitio.

c. Si yo ________ tan desconfiado como tú, no tendría tantos amigos.

d. Si ________ antes de actuar, no te habría ocurrido ese incidente.

e. Si ________ a nacer, volvería a ser médico: es lo que más me gusta.

f. Si ________ la compra, como te pedí, ahora no tendríamos la nevera tan vacía.

g. Si ________ a bajar a comprar el periódico, tráeme unas aspirinas de la farmacia.

h. Si ________ ver el partido, ve a la otra televisión, que nosotros estamos viendo una película.

i. Si yo me ________ su reacción, nunca le habría contado lo ocurrido.

j. Si ________ comprarme el apartamento, ¿me ayudarías con todo el papeleo de la hipoteca?

Teoría

Para realizar correctamente el contraste temporal de las acciones tenemos que prestar atención, no sólo a la condición, sino también a su resultado. Fíjate:

Si Juan me ***dijera*** *algo sobre ese asunto, yo te lo* ***contaría****.*

Si Juan me ***hubiera dicho*** *algo sobre ese asunto, yo te lo* ***contaría / habría contado****.*

En el segundo caso, las dos opciones son válidas, ya que lo que interesa es el resultado de esa condición, no el momento en que se produce: *te lo habría contado antes* o *te lo contaría ahora,* pero en cualquier caso, lo haría. En cambio, en el caso de los pensamientos del pirata Ambrosio, no sería posible esta doble opción porque la oportunidad ha pasado y con ella, sus posibles efectos:

Si ***encontrara*** *el tesoro me* ***haría*** *rico.*

Si ***hubiera encontrado*** *el tesoro me* ***habría hecho*** */* ~~***haría***~~ *rico.*

3 **¿Cuál de las siguientes opciones te parece la adecuada para completar estas frases? Si crees que ambas son posibles, señálalo igualmente.**

a. Si hubiera tenido ocasión…
- le pediría perdón a Silvia.
- le habría pedido perdón a Silvia.

b. Si pensase que eres tonto…
- no te pediría que me ayudaras con el proyecto.
- no te habría pedido que me ayudaras con el proyecto.

c. Si los hubieran descubierto…
- estarían en la cárcel.
- habrían estado en la cárcel.

d. Si tuvieras algo que ver en esto…
- me decepcionarías.
- me habrías decepcionado.

4 Completa las siguientes frases, teniendo en cuenta que en algunas de ellas tendrás más de una opción.

a. Si (saber, yo) ____________ que era una persona conflictiva no la (invitar, yo) ____________ a mi cumpleaños.

b. Si (cerrar, tú) ____________ bien la puerta no (entrar, ellos) ____________ a robarnos.

c. Si los médicos no me (prohibir) ____________ el tabaco ahora mismo me (fumar, yo) ____________ un cigarrito.

d. Si (pensar, ellos) ____________ un poquito en los demás ahora no nos (ver, nosotros) ____________ en esta situación.

e. Si le (prohibir, ellos) ____________ ir al concierto de anoche seguro que (ir, él) ____________ de todos modos.

f. Si no le (dar, tú) ____________ tu número de teléfono ahora no te (estar, él) ____________ llamando a todas horas.

g. Si (ser, nosotros) ____________ más listos no nos (tomar, ellos) ____________ el pelo tan a menudo.

h. Si (ver, tú) ____________ su cara cuando abrió el paquete te (partirse, tú) ____________ de risa.

Teoría

Hay muchas otras partículas condicionales y todas ellas aparecen con subjuntivo. Aquí tienes algunas:

con tal de que	*siempre y cuando*
siempre que	*en caso de que*
sin que	*con que*
excepto que	*salvo que*
a condición de que	*a no ser que*

5 Relaciona para completar las siguientes frases, que utilizan las expresiones de la página anterior.

1. Puedes salir esta noche
2. Jaime vendrá a la cena
3. Y este es el número al que puedes llamar
4. Te dejaré mi cámara
5. Haré ese viaje a Escocia
6. Para hacerse socio basta
7. Todo ocurrió rápidamente
8. Estoy dispuesto a pagarle los estudios
9. No se me ocurren más razones para explicar su comportamiento
10. Yo le explico lo que ha pasado a tu madre

a. con que lleves dos fotos y el recibo del banco.
b. siempre y cuando me prometas no volver a meterte en líos.
c. excepto que esté realmente deprimido.
d. con tal de que por fin haga algo útil.
e. siempre que vuelvas antes de las once.
f. a no ser que me surja otro plan de vacaciones.
g. sin que nos diera tiempo a reaccionar.
h. a condición de que me des copias de las fotos.
i. en caso de que haya algún imprevisto.
j. salvo que le toque guardia en el hospital.

6 Completa las siguientes frases con tus propias opiniones.

1. No tengo intención de pasarme el domingo en casa, a no ser que...

2. De acuerdo, te prestaré mi moto, siempre que...

3. No me gusta trabajar por las noches, salvo que...

Completa las siguientes frases utilizando las expresiones de la página 63 y procurando no repetir ninguna, según el modelo.

Ej.: *Estaremos todos presentes, **a no ser que** el presidente decida lo contrario.*

a. Vale, vale, de acuerdo: te dejo el coche ________________ te calles de una vez.

b. Llévate también la tarjeta del seguro médico y así, ________________ te pongas enfermo, podrás acudir a cualquier doctor sin tener que pagar nada.

c. ________________ hubiese llamado por teléfono habría sido suficiente para tranquilizar a la familia.

d. Bueno, pues me parece buena idea hacer lo que dices, ________________ estemos todos de acuerdo, claro.

e. Hemos pensado que estaría bien dormir esta noche al aire libre, ________________ llueva.

f. Pagaré en efectivo ________________ garanticen la instalación del equipo el mismo día de la compra.

g. ________________ ocurra un imprevisto, creo que podremos terminar el trabajo a tiempo.

h. Yo no habría tenido inconveniente en dejarlo pasar, ________________ hubiera venido correctamente vestido para la ocasión.

i. Tenemos que conseguir colarnos ________________ nos vean.

j. ________________ usted haya cometido un error en la suma final, no veo otra razón para que la factura sea tan elevada.

8 **Ambrosio el pirata se habría jubilado si el cofre del tesoro hubiera estado lleno. ¿Y tú? ¿Sabes en qué situaciones harías o habrías hecho las siguientes cosas? Fíjate en el modelo y completa las frases.**

Ej.: *Me iría / habría ido a vivir a otra ciudad... si me ofrecieran / hubieran ofrecido un trabajo mejor pagado.*

a. Me levantaría y abandonaría una reunión de trabajo si...

....

b. Me teñiría el pelo de rojo si...

....

c. Habría estudiado chino si...

....

d. Me enfadaría con un amigo si...

....

e. Escribiría mi biografía si...

....

f. Me pondría a tocar la guitarra en el metro si...

....

g. Dejaría de tomar mi plato favorito si...

....

h. Iría a un programa de televisión si...

....

9 **Éstas son algunas notas que dejas para diferentes personas de tu entorno. ¿Puedes completarlas?**

A. (a tu pareja)

Marta: me quedaré en el trabajo hasta tarde y tomaré un bocadillo, así que no me esperes a cenar... ¡A no ser que ....

B. (a tu vecino de enfrente)

Paco: no podré estar en la reunión de la comunidad, pero estoy de acuerdo en lo de poner un árbol de Navidad en el portal, siempre que ....

C. (A tu hermano)

Ramón, aquí te dejo el dinero para comprar el regalo de mamá. No hace falta que me llames para preguntarme, compra lo que te parezca bien, con tal de que ....

D. (A tu secretaria)

Raquel, estaré reunido casi toda la mañana. No me pases llamadas, excepto que ....

E. (A tu compañero de trabajo)

Tomás, tengo que salir un poquito antes. Si te parece, dejamos las cervecitas para mañana. Invito yo, a condición de que ....

QUIERO QUE ME PRESTES MÁS ATENCIÓN.

TRANSMITIR PETICIONES, RECOMENDACIONES Y CONSEJOS DE OTRA PERSONA

9

1 **Radio Cupido ha salido a la calle para preguntar a los ciudadanos. «¿Qué le pide usted a su pareja en el día de San Valentín?».**

Ayuda al reportero de Radio Cupido a completar los datos.

*«El 55% de nuestros entrevistados quiere que su pareja… le **invite** a cenar».*

a. «El 10% quiere que su pareja le (prestar) ______________ más atención».
b. «El 20% quiere que su pareja le (hacer) ______________ un buen regalo».
c. «El 10% quiere que su pareja le (llevar) ______________ de viaje».
d. «El 5% quiere que su pareja le (dar) ______________ un masaje».

Teoría

Como veremos en esta unidad, el subjuntivo también sirve para influir, de un modo u otro, sobre la voluntad de los demás. A veces simplemente deseamos que los otros hagan algo, como en el caso de las personas entrevistadas por Radio Cupido, y les transmitimos nuestros deseos.

En otras ocasiones, lo que hacemos es recomendar o aconsejar algo a alguien:

Ej.: *¿Que quieres dejar tu trabajo? Pues yo te aconsejo que **hables** con tu mujer antes de tomar una decisión.*

También podemos utilizar el subjuntivo para dar órdenes o instrucciones de carácter positivo o negativo (prohibiciones):

*¿Has visto qué desorden? Quiero que **organices** todo esto antes de las cinco.*

En otras ocasiones, los deseos, peticiones o instrucciones que transmitimos son los de los demás:

*«Acabo de ver al jefe y me ha dicho que **vayas** a su despacho cuando **tengas** un momento».*

2 Aquí tienes varios ejemplos de anuncios, notas y carteles. ¿Puedes relacionar cada mensaje con su intención?

A. ORDEN O PROHIBICIÓN; B. RECOMENDACIÓN O CONSEJO; C. PETICIÓN.

1.
☐ NO PISAR EL CÉSPED.

2.
EL MINISTERIO DE SANIDAD
ANIMA A LA PRÁCTICA
MODERADA DE EJERCICIO PARA
☐ MEJORAR LA FORMA FÍSICA.

3.
PRECAUCIÓN.
POCA VISIBILIDAD.
CONDUZCA CON CUIDADO.
☐

4.
ATENCIÓN.
CALLE CORTADA POR OBRAS.
DESVÍO OBLIGATORIO
A LA IZQUIERDA.
☐

5.
Maite, tengo hora en el médico y llegaré un poquito tarde. ¿Puedes contestar tú mi teléfono y recoger los recados?
Muchas gracias.
☐ Rosa

Fíjate ahora en el ejemplo y completa las siguientes frases. Puedes utilizar los verbos que aparecen a continuación:

pisar – pedir – hacer – ~~ordenar~~ – recomendar – prohibir
recoger – ~~girar~~ – aconsejar – conducir – contestar

1. El cartel **ordena** a los coches que **giren** a la izquierda.
2. En su nota, Rosa le ______ a Maite que ______ su teléfono y ______ sus recados.
3. El cartel ______ que la gente ______ el césped.
4. En el periódico, el Ministerio de Sanidad ______ a la gente que ______ ejercicio.
5. El cartel ______ a los conductores que ______ con cuidado.

Teoría

Recuerda que cuando el verbo principal aparece en presente, el verbo subordinado va en presente de subjuntivo. En cambio, si el verbo principal aparece en pasado o en condicional, el verbo subordinado irá en imperfecto de subjuntivo.

Esto es especialmente significativo en el caso del verbo *decir*, puesto que este cambio de tiempo implica un cambio de matiz en el significado: la expresión ***te digo que* + presente de subjuntivo** puede significar mandato, orden:

*—Fernando, ¿me oyes? **¡Te digo que salg**as de una vez!*

Una forma coloquial de expresar un mandato es la fórmula que elide el verbo principal porque se sobrentiende su significado. Así, en el ejemplo que acabamos de ver, la misma persona podría decir:

*—Fernando, ¿me oyes? ¡**Que salgas** de una vez!*

La fórmula ***te digo que* + verbo en presente de subjuntivo** puede tener también tener un valor de recordatorio, de insistencia en algo que ya ha sido dicho; en cambio, si el verbo *decir* aparece en condicional, se utiliza para dar recomendaciones y consejos:

—***Os digo que no tengo** ni idea de qué es lo que le pasa. Lleva así de raro todo el día.*

—***Yo te diría que pidieras** una entrevista personal con él. A veces, estas cosas se arreglan mejor cara a cara que por teléfono.*

Aquí tienes algunos de los verbos más habituales para influir sobre los demás mediante peticiones, recomendaciones y órdenes.

Peticiones	Recomendaciones y consejos	Deseos, órdenes y prohibiciones
—*suplicar que* —*pedir que* —*rogar que*	—*aconsejar que* —*sugerir que* —*recomendar que* —*te diría que* + imperfecto de subjuntivo	—*querer que* —*exigir que* —*prohibir que* —*pretender que* —*desear que* —*insistir en que* —*mandar que*

3 **Aquí tienes un folleto de recomendaciones para el buen uso de Internet. Léelas y transmíteselas a un amigo, como en el ejemplo.**

Ej.: *No facilitar datos personales si no hay completa seguridad sobre quién los recibirá.* → *En el folleto nos recomiendan que no facilitemos datos personales si no hay completa seguridad sobre quién los recibirá.*

a. Exigir siempre conexiones seguras y comprobar su certificado de seguridad.
b. Al enviar información, comprobar que en la parte inferior del navegador aparece un candado, como símbolo de que los datos están encriptados.
c. No enviar nunca datos bancarios si la página nos los pide como forma de acceso.
d. Controlar las facturas telefónicas.
e. Vigilar los contenidos y tiempos de uso de Internet por parte de los menores de edad.
f. No abrir mensajes de correo electrónicos desconocidos y destruirlos inmediatamente.
g. Utilizar un buen antivirus y mantenerlo actualizado.
h. Visitar periódicamente páginas sobre seguridad informática.

En el folleto nos recomiendan / nos aconsejan / nos sugieren que...

a. ______________________
b. ______________________
c. ______________________
d. ______________________
e. ______________________
f. ______________________
g. ______________________
h. ______________________

Marcela es muy popular entre sus amigos porque sabe escuchar y dar buenos consejos. Fíjate en este ejemplo.

Ej.: *Marga: —En la oficina estoy fatal: mi jefe me trata como si no existiera y no me da ninguna responsabilidad. Me siento muy inútil...* → *Marcela: —Pues mira, yo te diría que hablases con él y le explicases cómo te sientes. A lo mejor es que no se ha dado cuenta...*

¿Qué consejos darías tú a estos amigos de Marcela? Utiliza la estructura del ejemplo:

a. No sé qué hacer con mi suegra: se pasa el día criticando todo lo que hago. Desde que vive con nosotros me siento vigilada...

b. Marta no me habla. Creo que está enfadada conmigo desde que he empezado a salir con Juan. Como fueron novios hace años...

c. No sé qué hacer: me han invitado a dos bodas el mismo día. El caso es que son dos buenas amigas mías de la universidad y no se soportan entre ellas...

d. Tengo un problema con una vecina. Está tan sorda y pone la televisión tan alta que no puedo oír la mía. Se lo he dicho varias veces, pero sigue igual...

e. Me han ofrecido un puesto de responsabilidad en la competencia. Me pagan más, pero en mi trabajo actual estoy contento y tengo buenos amigos...

f. Este verano Jaime quiere que pasemos las vacaciones en la playa, pero a mí me aburre tanto estar todo el día tumbada al sol...

g. Estoy engordando mucho. Tendría que ir al gimnasio, pero cuando llego del trabajo estoy tan cansado que sólo me apetece sentarme en el sofá a ver la tele...

5 **Utiliza los verbos que aparecen a continuación en el tiempo que consideres más adecuado para completar las siguientes frases, según el ejemplo.**

Ej.: *Me sugirió que viera / viese a otro médico si no estaba satisfecho con su diagnóstico.*

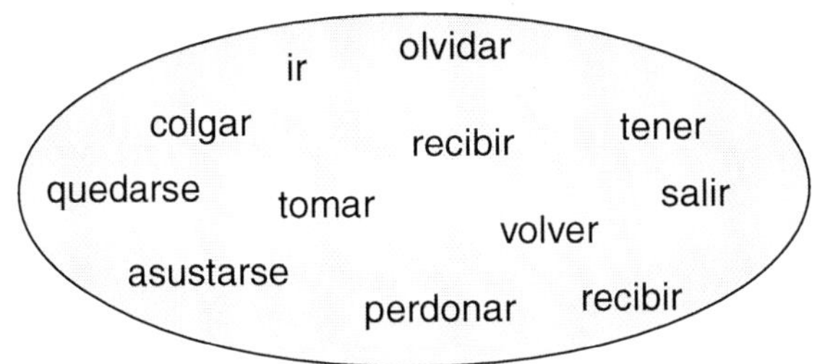

a. Se enfadaron muchísimo y nos prohibieron que (nosotros) .... a poner los pies en su casa.

b. Le suplico que me (usted) ...., yo no tenía intención de ofenderla con mis comentarios.

c. Pues si vais a ir a Londres, os recomiendo que (vosotros) .... a un restaurante persa que conozco.

d. ¿Cómo que os vais a un hotel? Nada de eso: insisto en que .... (vosotros) en mi casa.

e. Les exigimos que (ustedes) .... en cuenta nuestras reivindicaciones o no habrá negociación.

f. Le ruego que me (usted) .... unos minutos para explicarle mi situación.

g. Nena, te pido, por favor, que (tú) .... el teléfono y vengas a cenar.

h. Nosotras no pretendíamos que (ellas) ...., sólo queríamos gastarles una broma.

i. Yo le aconsejaría que (usted) .... todo el asunto porque no tiene muchas posibilidades de que tengan en cuenta su demanda.

j. Nosotros siempre quisimos que nuestros hijos .... una buena educación musical.

k. Yo te diría que te .... tu trabajo más en serio si no quieres que te despidan.

l. Cuando era joven, mis padres nunca me prohibieron que .... por las noches.

UNIDAD DE REPASO

1 Éstas son las notas que tienes que dejar a diferentes personas. Complétalas.

Tu compañera de piso, Marga, no ha conseguido el trabajo que esperaba. Hoy tiene otra entrevista y tú le dejas una nota antes de irte a trabajar.

A. Marga: siento que ________________ ________________ el trabajo, pero te deseo que ________________ ________________ en la entrevista de hoy. ¡Mucha suerte!

Tu amigo Rafa viene a un congreso y se queda en un hotel. Habías prometido ir a buscarlo, pero no has podido. Le has dejado un mensaje en recepción.

B. Rafa, perdona que no ________________ ________________: las cosas se han complicado en el trabajo. Te llamo más tarde para salir a cenar.

Le dejas a tu pareja una nota en la nevera deseándole que todo vaya muy bien en una reunión muy importante que tendrá hoy.

C. Cariño: que todo ________________ ________________. Seguro que habrá suerte y lo celebraremos. Llámame para contarme.

No soportas más a tus compañeros de piso y los abandonas dejando una nota donde les dices que lamentas tener que tomar esta decisión y les deseas suerte con un nuevo compañero.

D. Ya no lo soporto más. Me marcho a vivir solo. Lamento que no ________________ ________________ entendernos mejor, pero lo he intentado todo. Os deseo que pronto ________________ un nuevo compañero que os ayude con el alquiler. ¡Hasta siempre!

2 **Imagina que puedes escoger un lugar cualquiera para vivir y piensa en todas las características que debería tener para resultar, en tu opinión, el más atractivo. Completa los datos sobre él, siguiendo el modelo:**

Ej.: –*¿Dónde te gustaría que estuviera?*

–*Me gustaría vivir en un pueblo / en una ciudad* ***que estuviera*** *bastante cerca del mar, pero que no* ***fuera*** *turístico/a…*

a. ¿Qué tipo de vecinos te gustaría tener?

b. ¿Qué tipo de casa te gustaría tener?

c. ¿Qué clase de servicios te gustaría que hubiera disponibles?

d. ¿Qué te gustaría que hubiera cerca de tu casa?

3 **Piensa en qué situaciones experimentas estos sentimientos y reacciones y escríbelas siguiendo el modelo.**

Ej.: *Me pone de muy mal humor que la gente no respete las colas.*

a. ¿Qué te molesta?

....

b. ¿Qué te pone nervioso/a?

....

c. ¿Qué te saca de quicio?

....

d. ¿Qué te da pena?

....

e. ¿Qué te da asco?

....

4 **Completa las siguientes oraciones con el tiempo verbal que consideres más adecuado al contexto, según el modelo.**

Ej.: *En cuanto* ***me haya duchado / me duche*** *me probaré el vestido nuevo.*

a. Se comió todos los pasteles antes de que (llegar) .... sus hermanos.

b. Su perro, en cuanto lo (oír) .... llegar, sale a recibirlo dando saltos.

c. Siempre que (querer, tú) .... hablar conmigo, ya sabes dónde estoy.

d. En cuanto (saber, nosotros) .... lo que había pasado nos pusimos en camino.

e. Espera aquí sin moverte hasta que (volver, yo) ....

f. Cada vez que (querer, él) .... dar un paseo tenía que salir por la puerta de atrás.

g. Me cambiaré de piso tan pronto como me (dar, ellos) .... las llaves del nuevo.

h. Siempre que (ir, yo) .... al pueblo me gusta ir dando un paseo hasta la ermita.

i. Te digo que no podré estar tranquila hasta que (ver, yo) .... con mis propios ojos que todos están bien.

j. Cuando (salir, tú) .... de trabajar pasa a recogerme.

5 **Relaciona para completar las siguientes frases de la forma que consideres más adecuada.**

Era necesario	que me vieran entrando en casa con aquel disfraz.
Fue muy emotivo	que quiera pasar el mayor tiempo posible con su familia.
Era evidente	que ni siquiera tenga remordimientos por su comportamiento.
Habría sido estupendo	que perdiera los nervios de aquella manera.
Es obvio	que haya perdido todo lo que tenía en el incendio de su casa.
Fue lamentable	que se tomara una decisión con urgencia.
Es natural	que la policía hubiera llegado a tiempo.
Habría sido ridículo	que se sentía incómodo en aquella reunión.
Ha sido terrible	que dedicara el premio a su madre.
Es preocupante	que corremos un riesgo al invertir todo el dinero en este negocio.

6 Marca la forma verbal correcta en las siguientes frases, según el modelo.

Ej.: *El director nos reunió con el objeto de* ***comunicar*** */ que comunicara su dimisión irrevocable.*

a. Les rogamos salgan ordenadamente a fin de evitar / que eviten aglomeraciones a las puertas del recinto.

b. Mi padre me ha echado una bronca para no volver / que no vuelva a llegar tan tarde a casa.

c. Venimos a felicitarte / que te felicitemos por tu cumpleaños.

d. Estoy ahorrando mucho con vistas a poder / que pueda comprarme una casita en el campo.

e. He preparado todo esto con la intención de sentirte / que te sientas mejor.

f. Te dejaré la luz encendida toda la noche para no tener / que no tengas pesadillas.

g. Se habían inventado toda la historia con la intención de evitar / que evitaran el castigo.

h. Los profesores nos han citado a los padres con el objeto de ver / que veamos las nuevas instalaciones deportivas de la escuela.

7 Transforma las siguientes frases de modo que expresen finalidad, según el ejemplo.

Ej.: *Hemos apartado las mesas del centro: así podrán bailar los novios.* → *Hemos apartado las mesas del centro para que puedan bailar los novios.*

a. Te voy a dar mi correo electrónico: así me escribirás cuando llegues a Pekín.

....

b. Han aumentado la vigilancia en toda la zona: así no habrá más robos.

....

c. Le he dejado aquí el regalo al niño: así lo verá cuando llegue.

....

8 **Señala la forma verbal correcta para completar cada una de las siguientes frases.**

1. Deberías haberme llamado para que fuera a buscarte a la salida. Quizás así ______________ antes.

   a. llegaras b. hubieras llegado
   c. llegues d. hayas llegado

2. Ramón estaba muy afectado por la noticia. Puede que ____________ mejor no contarle el resto hasta que se tranquilice.

   a. hubiera sido b. sea
   c. es d. sería

3. Es posible que ____________ que cambiar de coche, ¿sabes? Éste me está dando demasiados problemas.

   a. tuviera b. tengo
   c. tendría d. tenga

4. ¿Cómo que no ha llegado todavía? Igual ______________ que se había cancelado la reunión.

   a. hubiera pensado b. haya pensado
   c. pensaría d. ha pensado

5. A lo mejor no ______________ venir mañana: tengo que hacer unas gestiones bastante urgentes.

   a. puedo b. pueda
   c. haya podido d. podría

6. Tal vez no te ______________ lo que te voy a decir, pero creo que ya es hora de que alguien te hable con claridad.

   a. gusta b. guste
   c. gustara d. gustaría

9 **Completa las siguientes frases con el verbo en el tiempo adecuado. Puedes seleccionarlos de entre los siguientes.**

dar · ser · decir · parecer

seguir · pedir · traer · tener

notar · llegar · callarse · empezar

a. Y no quiero que vuelvas a llamarme, a no ser que me ________ disculpas por lo que has dicho.

b. Desde luego, si ________ así acabarás por ponerte enfermo de comer tantos pasteles.

c. Le dije muy seriamente que no volviera a interrumpirme, a no ser que el edificio ________ a arder.

d. Si no ________ tan confiado no te verías envuelto en estos líos.

e. Ya es muy tarde: no creo que venga, salvo que ________ el tren de las once, que es el último.

f. Bueno, pues acepto tus condiciones, siempre y cuando me ________ un margen de confianza y me dejes tomar decisiones.

g. Te garantizo que te encantará el piso, siempre que te ________ bien vivir tan lejos del centro, claro.

h. No vi nada: si ________ algo raro en su comportamiento lo habría dicho.

i. El niño ha estado muy revoltoso toda la tarde: habría hecho cualquier cosa con tal de que ________ un ratito.

j. Si alguien me ________ lo que iba a pasar no lo habría creído.

k. En caso de que ________ ustedes más problemas, llamen a este número de teléfono.

l. No hacía falta que le compraras un regalo tan caro: con que le ________ unas flores habría sido suficiente.

He aquí algunos consejos para evitar los robos en la vivienda mientras nos encontramos de vacaciones, extraídos de una página web de consejos al consumidor. Si tuvieras que contarle a alguien estas medidas, ¿cómo transformarías los verbos en negrita? Fíjate en el modelo.

Ej.: *En esta página web* ***se nos aconseja que no comentemos*** *en público, especialmente ante desconocidos, durante cuánto tiempo estaremos fuera de casa…*

1. No comentar en público, especialmente ante desconocidos, durante cuanto tiempo estaremos fuera de casa.
2. Reducir en la medida de lo posible los signos externos de ausencia del hogar. Por ejemplo: hacer que alguien recoja nuestra correspondencia y nos llame por teléfono en caso de emergencia.
3. Pedir a esa persona de confianza que entre de vez en cuando a abrir las ventanas o encender las luces.
4. Colocar un reloj programable para encender y apagar la luz o la radio a diferentes horas.
5. Reforzar la seguridad de las puertas y ventanas.
6. Comprobar que todas las posibles entradas a la casa quedan cerradas.
7. Instalar rejas en ventanas y terrazas de los pisos bajos.
8. No dejar joyas ni objetos de valor en la vivienda.
9. Elaborar un inventario de nuestros aparatos eléctricos de valor (vídeos, equipos de música, etc.) y tomar fotografías para facilitar la investigación en caso de robo.
10. Conectar una alarma a un servicio de seguridad.

(Adaptado de http://www.consumer.es/)

También se nos aconseja / se nos sugiere que…

1. ....
2. a. ....
   b. ....
3. ....
4. ....
5. ....
6. ....
7. ....
8. ....
9. a. ....
   b. ....
10. ....

UNIDAD 1

1. **1.** d. **2.** c. **3.** f. **4.** a. **5.** b. **6.** e.
2. **a.** encuentre. **b.** venda. **c.** toque. **d.** mejore. **e.** llame. **f.** tengas. **g.** haya
3. **a. ganara / ganase. b.** fuera / fuese. **c.** supiera / supiese. **d.** tuviera / tuviese. **e.** viniera / viniese. **f.** pudiera / pudiese. **g.** me llamara / me llamase.
4. **a. fuerais. b.** pueda. **c.** sean. **d.** descansaras. **e.** pasarais. **f.** fuera.
5. **a.** ¿Te importa / Te molesta que fume?
   b. ¿Le importa que me siente?
   c. ¿Le / Te importa / Le / Te molesta que salga hoy media hora antes?
   d. ¿Te importa / Te molesta que haga una llamada?
   e. ¿Te importa / Te molesta que me lleve tus llaves?
   f. ¿Te importa / Te molesta que te llame a tu trabajo?
   g. ¿Os molesta / Os importa que abra la ventana?
6. **a.** perdona que te llame.
   b. perdona que te interrumpa.
   c. siento que ya lo tengas.
   d. perdona que no vaya a tu fiesta.
   e. siento mucho que no puedas venir / que no vengas a la boda.
   f. Siento mucho que no me creáis.
   g. perdona que no pueda ir / vaya a buscarte al aeropuerto.
   h. siento mucho que le moleste el ruido.
7. **a.** sea. **b.** vaya. **c.** salga. **d.** tenga. **e.** haya / tengáis – sepáis. **f.** esté. **g.** me siente. **h.** prefieras. **i.** vengan – vean.
8. HORIZONTALES: **1.** insista. **2.** fueras. **3.** pienses.
   VERTICALES: **1.** encontréis. **2.** quedes (al revés). **3.** haga.

UNIDAD 2

1. tenga. flote. sea. consuma. gane.
2. El padre de Iván:
   —su coche actual: —un coche que no se avería muy frecuentemente.
   —un coche que es amplio y cómodo.
   —el coche que quiere comprarse: —un coche que sea seguro.
   —un coche que no sea muy caro.
   —un coche que sea fácil de aparcar.
   La madre de Iván:
   —su trabajo actual: —un trabajo que me gusta.
   —un trabajo que me deja bastante tiempo libre.
   —un trabajo que no me da preocupaciones.
   —el trabajo que quiere encontrar: —un trabajo que esté más cerca de casa.
   —un trabajo que no me obligue a viajar.

La tía de Iván:

—su novio actual: —un novio que no habla mucho.
—un novio que estudia Arquitectura.

—el novio que le gustaría tener: —un novio que me comprenda.
—un novio que baile salsa.
—un novio que viva en la misma ciudad que yo.

3. **tenga**. haya. esté. gaste. llegue. guste. sea. conozca. encuentre. pueda.

4. **1.** fume. **2.** camine. **3.** disfrute. **4.** son. **5.** se levantan. **6.** tenga. **7.** sea. **8.** hablan. **9.** mida. **10.** sea. **11.** toque.

5. **a.** Lo que tú quieras. **b.** Del que tú quieras. **c.** En el que queráis. **d.** Donde tú quieras. **e.** Como tú quieras.

6. **a.** pongo. **b.** apetezca. **c.** convenga. **d.** quiera. **e.** pongas. **f.** estoy. **g.** gusta. **h.** demuestre. **i.** hacemos.

7. **a.** que trate de la felicidad.
b. que sean más pequeños que éste.
c. que resista el viento / sea a prueba de viento.
d. que dure tres horas.
e. que tenga uno o dos años.
f. que funcione a / con pilas.
g. que salga esta noche.

UNIDAD 3

1. Me molesta / No soporto que:
— nunca limpies la casa.
— veas tanta televisión.
— comas tanto.
— seas tan vago.
— nunca quieras hacer nada.

2. **a.** A Marga le preocupa que sus hijos estudien poco. **b.** Siempre nos ha gustado vivir en este barrio. **c.** Creía que te daba miedo quedarte sola en casa por las noches. **d.** Me da mucha pena que Paco tenga que vender la casa de sus padres. **e.** Me alegro mucho de que Rosa y Alejandro se casen en diciembre. **f.** Te fastidia mucho ganar menos que yo en tu trabajo. **g.** Me saca de quicio que siempre presuma de ser el más trabajador.

3. Respuesta semi-libre. **a.** Me fastidia / Me molesta, etc. que Carmen siempre ponga la música tan alta. **b.** Me fastidia que las ventanas den a un patio interior. **c.** Me da miedo que nieve. **d.** Me da rabia que nunca reconozca sus errores. **e.** Me horroriza que la gente me mire. **f.** Me saca de quicio que Marta siempre me haga esperar en la calle.

4. Respuesta libre. Ejemplos: «A mí me sacaba de quicio que me llamaran por mi apellido». «A mí me daba pánico que me preguntaran la lección por sorpresa». «A mí me horrorizaba tener que cantar en público», etcétera.

5. **a.** salgas. **b.** se acostara / acostase. **c.** estudiara / estudiase. **d.** critique. **e.** despertemos. **f.** prestara / prestase. **g.** acerque.

6. **a.** haya vendido su piso y su coche y se haya gastado todo el dinero en una caravana. **b.** se pasara / pasase el día poniéndose el termómetro. **c.** no la haya llamado por teléfono ni una sola vez esta semana. **d.** en su trabajo hayan despedido a varias personas en las últimas semanas. **e.** haya cantado una canción de ABBA y lo haya hecho fatal.

7. También le molesta que haya perdido grandes cantidades de dinero jugando a las cartas; que no asista a mis clases en la universidad; que beba demasiado (tanto); que gaste demasiado (tanto) en ropa y viajes; y, sobre todo, que haya abandonado a mi prometida, la hija de los Condes de Cal, y salga contigo. Pero lo que más le molesta es que le prometí (le había prometido) que cambiaría, y no he hecho hecho nada por modificar mis malas costumbres.

UNIDAD 4

1. Cuando cuelgue el teléfono. Cuando acabe de hablar con Esther.

2. **a.** Después de que te cuente esta historia no podrás dormir. **b.** Antonio se quedará en el hospital hasta que se recupere. **c.** Tan pronto como digan mi nombre me pondré de pie. **d.** Siempre que el perro se ensucie tendrás que bañarlo tú. **e.** Antes de que digas nada déjame pedirte disculpas.

3. **a.** En cuanto ahorremos suficiente dinero, nos compraremos la casa. **b.** Voy a quedarme en la playa hasta que me llame mi marido. **c.** Siempre que me lo encuentre, lo saludaré. **d.** Vamos a terminar la reunión antes de que se haga tarde. **e.** Después de que encontremos una solución, te sentirás más aliviado. **f.** Tan pronto como se vayan, podremos ver la película sin interrupciones. **g.** En cuanto le dé una explicación convincente, se calmará.

4. **a.** saques. **b.** llegasteis. **c.** tienen. **d.** vea. **e.** conozcas. **f.** estemos de acuerdo. **g.** tengo. **h.** salgas. **i.** empieces.

5. — Cuando termine usted el informe que está escribiendo, envíeme una copia **(1).**

   — Cuando haya llamado al Gerente, prepare los documentos de la reunión de ayer **(3)**.

   — En cuanto me haya enviado la copia, llame al Gerente y dígale que venga a mi despacho **(2)**.

   — Cuando haya citado a nuestros socios, mándele un correo urgente a nuestro representante en Méjico para preguntarle cómo va la promoción del producto **(5)**.

   — En cuanto el Gerente entre en mi despacho, cite por teléfono a nuestros socios de Cantisa, S. A., para mañana a las once **(4).**

   — Tan pronto como haya hablado con el representante en Méjico, llámeme para informarme sobre esa conversación **(6).**

6. Respuesta libre. Hay suficientes ejemplos en el modelo.

7. miro. te enfades. caiga. ciegue. encuentre. haya encontrado. abro. sea. digo. necesites. quieras. busques. comprendas.

UNIDAD 5

1. **a. haya perdido. b.** haya dejado. **c.** haya salido. **d.** hayan caído. **e.** quiere.

2. **a.** Es imprescindible. **b.** Es aconsejable. **c.** Es extraño. **d.** Es sorprendente / extraño. **e.** es probable. **f.** es deseable / aconsejable. **g.** es una pena / lamentable. **h.** Es (absolutamente) intolerable. **i.** es impensable. **j.** Es fantástico / Es estupendo. **k.** es mejor. **l.** Es lamentable / Es una pena.

3. **1.** e. **2.** a / d / h. **3.** a / d. **4.** c / i / l. **5.** c. **6.** g. **7.** f. **8.** d / i. **9.** i. **10.** g / k. **11.** j. **12.** b.

4. **a.** Es una locura subir esa montaña. **b.** Era muy emocionante ver a la gente abrazándose y sonriendo. **c.** Es intolerable que nos hayan hecho esperar más de dos horas. **d.** En Navidad es inevitable gastar mucho dinero en comida y en regalos. **e.** Es muy improbable que haya otro futbolista tan bueno como él en mucho tiempo. **f.** Es impresionante ver toda la bahía iluminada desde ese mirador. **g.** Es un error creer que es mejor proteger en exceso al niño. **h.** Es muy significativo que el director no respondiera / haya respondido a ninguna de las preguntas planteadas. **i.** Es estupendo encontrar siempre personas dispuestas a ayudar / que siempre haya personas dispuestas a ayudar.

5. **a.** hubiera. **b.** despidieran. **c.** ha intentado. **d.** tenía. **e.** estábamos. **f.** nos preocupemos. **g.** quieres. **h.** pretendieran. **i.** piensa. **j.** den.

6. Respuesta libre.

UNIDAD 6

1. **a.** que disfrute. **b.** que pueda. **c.** que cambie. **d.** que sea. **e.** leerla.

2. **a.** para dormir mejor. **b.** para pasar juntos la Navidad. **c.** para que te quedes tranquilo. **d.** para que venga a buscar sus libros? **e.** para que no vuelva a quedarme dormido. **f.** para ahorrar un poco más todos los meses.

3. HORIZONTALES: **1.** empiece. **2.** hicieran. **3.** supiéramos. **4.** saliese.

   VERTICALES: **1.** rompa. **2.** marchara. **3.** entres. **4.** ate.

4. **a.** cambiara / cambiase. **b.** se olvidara / olvidase. **c.** den. **d.** puedan. **e.** desaparezcan. **f.** sepas. **g.** ofrezca. **h.** entregaran. **i.** pienses. **j.** solucionara / solucionase.

5. **a.** Para que haga que el médico se vaya del pueblo. **b.** Para que la hija del alcalde conozca a Lorenzo. **c.** Para que no se gaste todo el dinero de la familia. **d.** Para que María Elena no abandone a su marido. **e.** Para que el mayordomo no se enamore de ella. **f.** Para que no impidan / que no se enteren de su boda con el mayordomo.

6. Respuesta libre. Ejemplos: **a.** Para tener mejor aspecto cuando me miro en el espejo del ascensor. **b.** Para que el polvo no se acumule. **c.** Para leer los detalles. **d.** Para descubrir cosas que no hemos leído o visto antes. **e.** Para que haya suficiente espacio en el armario para la ropa de verano. **f.** Para fastidiarlo. **g.** Para estar más guapos durante unos días.

UNIDAD 7

1. Respuesta libre. Ejemplos: **a. A lo mejor le duele una muela... b. Puede que esté deprimido. c.** A lo mejor su novia lo ha abandonado. **d.** Puede que haya suspendido alguna asignatura. **e.** A lo mejor se encuentra mal. **f.** Puede que esté viendo una película triste.
2. **a.** seguramente / seguro que / a lo mejor / igual / quizá (-s) / tal vez / probablemente / posiblemente.
   b. es posible que / es probable que / puede que / puede ser que / quizá (-s) / tal vez / probablemente / posiblemente.
   c. seguramente / seguro que / a lo mejor / igual / quizá (-s) / tal vez / probablemente / posiblemente.
   d. es posible que / es probable que / puede que / puede ser que / quizá (-s) / tal vez / probablemente / posiblemente.
   e. seguramente / seguro que / a lo mejor / igual / quizá (-s) / tal vez / probablemente / posiblemente.
   f. es posible que / es probable que / puede que / puede ser que / quizá (-s) / tal vez / probablemente / posiblemente.
   g. Es posible que / Es probable que / Puede que / Puede ser que / Quizá (-s) / Tal vez / Probablemente / Posiblemente.
   h. seguramente / seguro que / a lo mejor / igual / quizá (-s) / tal vez / probablemente / posiblemente.
   i. es posible que / es probable que / puede que / puede ser que / quizá (-s) / tal vez / probablemente / posiblemente.
   j. es posible que / es probable que / puede que / puede ser que / quizá (-s) / tal vez / probablemente / posiblemente.
3. **1.** b. **2.** a. **3.** a. **4.** b.
4. **a.** Quizá se encuentre mal. **b.** Es probable que haya olvidado echarle gasolina. **c.** Puede que hubiera ido más gente. **d.** Posiblemente vaya a visitarlo. **e.** Quizá haya decidido dimitir. **f.** Puede ser que haya dejado a Antonio. **g.** Puede que fuera tímida. **h.** Quizás hubiera tenido menos problemas. **i.** Probablemente siga enfadada conmigo. **j.** Probablemente lo hayan vendido. **k.** Quizás hubiera sido mejor.
5. **a.** haga. **b.** vaya. **c.** hubiese sido. **d.** estoy. **e.** haya conseguido. **f.** hay. **g.** causo / cause. **h.** ayuda. **i.** encuentre. **j.** saque. **k.** sirva. **l.** me matricule. **m.** queden.
6. Respuesta libre. Hay suficientes ejemplos en el modelo, tanto con indicativo como con subjuntivo.
7. Respuesta libre. Ejemplos: **a.** Seguramente alguien ha robado el regalo y ha vuelto a cerrar el paquete. **b.** Puede que algún vecino los haya llamado por error. **c.** Es probable que la pintura estuviera en mal estado. **d.** A lo mejor me están gastando una broma. **e.** Quizá me confunde con otra persona a la que conoce. **f.** Tal vez sea un famoso que no quiere ser reconocido.
8. Respuesta libre. Hay suficientes ejemplos en el modelo.

UNIDAD 8

1. **a.** encontrara / encontrase. **b.** encuentro. **c.** hubiera / hubiese estado.

2. **a.** pregunta / preguntara. **b.** has acabado. **c.** fuera / fuese. **d.** hubieras / hubieses pensado. **e.** volviera / volviese. **f.** hubieras / hubieses hecho. **g.** vas. **h.** quieres. **i.** hubiera / hubiese imaginado. **j.** decidiera / decidiese.

3. **a.** Si hubiera tenido ocasión le habría pedido perdón a Silvia. **b.** Si pensase que eres tonto no te pediría / no te habría pedido que me ayudaras con el proyecto. **c.** Si los hubieran descubierto estarían en la cárcel / habrían estado en la cárcel. **d.** Si tuvieras algo que ver en esto me decepcionarías.

4. **a.** hubiera / hubiese sabido → habría invitado / supiera → invitaría. **b.** hubieras / hubieses cerrado → habrían entrado. **c.** hubieran / hubiesen prohibido → fumaría. **d.** pensaran / hubieran / hubiesen pensado → veríamos. **e.** hubieran / hubiesen prohibido → habría ido. **f.** hubieras / hubieses dado → estaría. **g.** fuéramos / fuésemos → tomarían. **h.** hubieras / hubieses visto → habrías partido.

5. **1.** e. **2.** j. **3.** i. **4.** h. **5.** f. **6.** a. **7.** g. **8.** d. **9.** c. **10.** b.

6. **a.** Respuesta libre. Ejemplos: **1.** llueva demasiado para salir. **2.** me la devuelvas antes de las diez de la noche. **3.** al día siguiente sea fiesta.

7. **a.** con tal de que. **b.** en caso de que. **c.** Con que. **d.** siempre y cuando. **e.** a no ser que. **f.** a condición de que. **g.** Salvo que. **h.** siempre que. **i.** sin que. **j.** Excepto que.

8. Respuesta libre. Ejemplos: **a.** alguien me faltara al respeto. **b.** me quedase mejor que mi color natural. **c.** hubiese sabido que se pondría de moda. **d.** me engañara para obtener un beneficio. **e.** me pagasen muchos millones de euros. **f.** supiera tocarla. **g.** fuera alérgico a sus ingredientes. **h.** coincidiera en él con George Clooney / Angelina Jolie.

9. Respuesta libre. Ejemplos: **a.** ¡A no ser que prepares para cenar tallarines con setas! **b.** siempre que se ponga en un sitio donde no estorbe el paso de los vecinos. **c.** con tal de que no sea otra vez un libro de cocina. **d.** excepto que sea el director general. **e.** a condición de que no vuelvas a contarme cómo marcaste los dos goles en el partido del domingo.

UNIDAD 9

1. **a.** preste. **b.** haga. **c.** lleve. **d.** dé.

2. a. **1.** A. **2.** B. **3.** B. **4.** A. **5.** C.

   b. **1. ordena / giren. 2.** pide / conteste / recoja. **3.** prohíbe / pise. **4.** aconseja (recomienda) / haga. **5.** recomienda (aconseja) / conduzcan.

3. **a.** exijamos siempre conexiones seguras y comprobemos su certificado de seguridad. **b.** al enviar información, comprobemos que en la parte inferior del navegador… **c.** no enviemos nunca datos bancarios si la página nos los pide como forma de acceso. **d.** controlemos las facturas telefónicas. **e.** vigilemos los contenidos y tiempos de uso de Internet por parte de los menores de edad. **f.** no abramos mensajes de correo electrónicos desconocidos y que los destruyamos inmediatamente. **g.** utilicemos un buen antivirus y lo mantengamos actualizado. **h.** visitemos periódicamente páginas sobre seguridad informática.

4. Respuesta libre. Ejemplos: **a.** Pues yo te diría que hablases con tu marido y le explicases la situación. **b.** Pues yo te diría que no te preocupases porque no estás haciendo nada malo. **c.** Pues yo te diría que fueses a la ceremonia de la primera y al banquete de la segunda. **d.** Pues yo te diría que le regalases un aparato para la

sordera. **e.** Pues yo te diría que escribieses en un papel las ventajas y desventajas de cada trabajo. **f.** Pues yo te diría que le convencieses para ir a un sitio con playa, pero también con otros atractivos. **g.** Pues yo te diría que intentases comer más sano y menos cantidad.

5. **a.** volviéramos / volviésemos. **b.** perdone. **c.** vayáis. **d.** os quedéis. **e.** tengan. **f.** conceda. **g.** cuelgues. **h.** se asustaran / asustasen. **i.** olvidara / olvidase. **j.** recibieran / recibiesen. **k.** tomaras / tomases. **l.** saliera / saliese.

UNIDAD 10

1. Respuesta semi-libre. Ejemplos: **a.** no hayas conseguido / todo salga mejor. **b.** haya ido a buscarte. **c.** vaya muy bien. **d.** hayamos podido / encontréis
2. Respuesta libre. Ejemplos: **a.** Me gustaría que mis vecinos fueran de diferentes edades: jóvenes, niños y mayores. **b.** Me gustaría que mi casa tuviera un jardín no muy grande y ventanas con balcones. **c.** Me gustaría que hubiera los servicios más necesarios: hospital, farmacia, mercado y también algunos restaurantes y tiendas de ropa. **d.** Me gustaría que hubiera alguna ciudad cerca, para poder ir de compras o al teatro.
3. Respuesta libre. Ejemplos: **a.** Me molesta que la gente fume en los ascensores. **b.** Me pone nervioso/a que me hagan esperar. **c.** Me saca de quicio que intenten engañarme. **d.** Me da pena que mis amigos se vayan a vivir lejos. **e.** Me da asco que la gente tire basura en el campo.
4. **a.** llegaran. **b.** oye. **c.** quieras. **d.** supimos. **e.** vuelva. **f.** quería. **g.** den. **h.** voy. **i.** vea. **j.** salgas.
5. Era necesario que se tomara una decisión con urgencia. Fue muy emotivo que dedicara el premio a su madre. Era evidente que se sentía incómodo en aquella reunión. Habría sido estupendo que la policía hubiera llegado a tiempo. Es obvio que corremos un riesgo al invertir todo el dinero en este negocio. Fue lamentable que perdiera los nervios de aquella manera. Es natural que quiera pasar el mayor tiempo posible con su familia. Habría sido ridículo que me vieran entrando en casa con aquel disfraz. Ha sido terrible que haya perdido todo lo que tenía en el incendio de su casa. Es preocupante que ni siquiera tenga remordimientos por su comportamiento.
6. **a.** evitar. **b.** que no vuelva. **c.** felicitarte. **d.** poder. **e.** que te sientas. **f.** que no tengas. **g.** evitar. **h.** que veamos.
7. Respuesta libre. Ejemplos: **a.** Te voy a dar mi correo electrónico para que me escribas cuando llegues a Pekín. **b.** Han aumentado la vigilancia en toda la zona con el fin de que no haya más robos. **c.** Le he dejado aquí el regalo al niño con la intención de que lo vea cuando llegue.
8. **1.** b. **2.** b. **3.** d. **4.** d. **5.** a. **6.** b.
9. **a.** pidas. **b.** sigues. **c.** empezara. **d.** fueras. **e.** llegue. **f.** des. **g.** parezca. **h.** hubiera / hubiese notado. **i.** se callara / callase. **j.** hubiera / hubiese dicho. **k.** tengan. **l.** hubieras / hubieses traído.
10. **1.** comentemos. **2. a.** reduzcamos. **b.** hagamos. **3.** pidamos. **4.** coloquemos. **5.** reforcemos. **6.** comprobemos. **7.** instalemos. **8.** no dejemos. **9. a.** elaboremos. **b.** tomemos. **10.** conectemos.